漢學研究叢書・日韓儒學研究叢刊

近代歐美漢學家

——東洋學的系譜（歐美篇）

高田時雄　編著
林 愷 胤　譯

目次

林序

中、日兩國兩千餘年來文化交流密切，儒家思想也創造了江戶時期的文化；日本明治維新則影響晚清的革命。清末民初，中日兩國學人交流密切，相互迻譯的學術著作也累積不少。後來，雖因中共閉關政策，關係幾乎中斷。近十餘年間，中國大陸各大學的日本文化研究中心紛紛設立，翻譯、編輯有關日本漢學的著作可說目不暇接。全面介紹日本漢學的著作，也有《日本中國學手冊》、《日本中國學史》、《中日漢籍交流史論》、《漢籍在日本的流布研究》、《近代中日語學交流史稿》等書。反觀臺灣，雖曾為日本殖民地五十年，但未因語文上的方便，有密切之交流。自從斷交後，雙方關係可說降至冰點。近數年雖稍有改善，但在彼此缺乏了解的情況下，如何作進一步交流。要了解近百年來日本漢學家研究的貢獻，《東洋學の系譜》是最為簡明扼要的參考書籍。

這套書分為三集，第一集由江上波夫教授主編，收錄有那珂通世（1851-1908）至石田幹之助（1891-1974）二十四位漢學家。第二集也由江上波夫教授主編，收錄有瀧川龜太郎（1865-1946）至貝塚茂樹（1904-1987）二十四位漢學家。第三集是歐美篇，由高田時雄教授主編，收錄有比丘林（ビチューリン）（1777-1853）至艾伯哈特（エーバーハルト）（1909-1989）二十四位歐美漢學家。這套書是研究日本和歐美漢學的最佳入門書。一九九四年七月，我到日本九州大學文學部中國哲學研究室，擔任訪問研究員。由於遠離臺北的塵囂，來訪的客人很少，有比較充足的時間專注學術研究，我決定將《東洋學的系譜》第一冊翻譯成中文，這個翻譯稿在一九九五年六月《國文天地》第十一卷第一期（總一二一期）起，陸續刊登出來，總共連載了二十四期。

一九九七年九月至一九九八年八月，因獲得國家科學發展委員會的補助，我們全家五人同赴日本九州大學文學部，進行為期一年的訪問研究。當時，我與內人陳美雪教授，至九州大學留學生語言中心進修日語。三個孩子則是被安排在九州大學留學生會館對面的香陵小學校上課。因為孩子們的母語並非日語，所以老師特別對他們加強輔導。半年後，孩子們的日語都已是琅琅上口的程度。因為這次的經驗，為他們的語言能力奠下基礎。此後，大兒子林愷胤考入臺灣大學日本語文學系；二兒子林愷葳考入東吳大學日本語文學系。由於他們都擁有日語的專長，因此我請大兒子翻譯本書的第三集歐美篇；二兒子則是繼續翻譯江上波夫所編的《東洋學の系譜》第二集。我自己翻譯的部分，早在一九九五年至一九九七年已翻譯完畢。二〇一四年暑假，二兒子翻譯的部分也已經完成，待我看過校訂後，即可交稿。大兒子翻譯的部分，預計在二〇一五年暑假完成。這套書是以我們父子三人的力量，合力翻譯完畢，也是學術界一件佳話。

由於本書的原名為《東洋學の系譜》，但考慮到現代人既不知東洋學所指為何，也不知系譜的意義。因此，為了讓書名比較顯豁，故將第一集改名為《近代日本漢學家——東洋學的系譜（一）》，第二集改名為《近代日本漢學家——東洋學的系譜（二）》，第三集改名為《近代歐美漢學家——東洋學的系譜（歐美篇）》。希望這套書的出版能為日本漢學和歐美漢學的流傳略盡棉薄之力。我們都是日語的初學者，裡面可能有不少翻譯錯誤的地方，敬請海內外賢達適予指教。

二〇一九年六月三十日林慶彰誌於

士林磺溪街知魚軒

高田時雄序

本書所收錄歐美東洋學者傳曾於一九九四年四月起連載於月刊《しにか》，刊名為「歐美的東洋學」。並與之前日本東洋學者傳整理成《東洋學的系譜》一、二集一起出版，因而將此書名訂為《東洋學的系譜（歐美篇）》。

明治以來，近代東洋學勃興，累積至今的漢學傳統自然也成為主要的支柱，但另一個巨大的推力則是歐美東洋學的客觀方法論。尤其以中國為研究對象的各領域，以往多以聖賢為研究核心，得以獲得轉變成新漢學的契機。漢學之外，佛學跳脫漢文佛經的俗套限制，樹立以梵文與巴利語為立足點的新傳統，這也對歐美東洋學有更一層直接的影響。此外，近年來東南亞及西亞研究大規模進行，歐美東洋學也是不可或缺的先驅。歐美東洋學在這樣大規模的發展下，也成為我國東洋學的典範。

歐洲人海外發展的同時，歐美的東洋學也隨著其知識所及的範圍逐漸擴大，因此伊斯蘭圈為主的西亞研究也最古老，印度其次，中國等遠東的研究在歐美東洋學的發展過程來看則是比較新的。本書因應我國東洋學過去與現在的樣貌來選擇學者，漢學家占大多數。若更客觀的來看歐美東洋學，或許會有相當差異的人選，但就會與日本讀者的興趣不相符。且說到歐美篇可能也有人抱怨美國的學者極少。本書以十九世紀初葉到二十世紀前半的範圍，選擇評價已定的學者，若要對更近代的時期進行同樣的計畫的話，美國的學者應該會更多。

也許您已經注意到本書完全沒有研究日本的學者。這是因為在我國，日本學通常不算在東洋學中，以《東洋學的系譜》的書名收錄日本學者的話，似乎有些不妥。因此就自然成為這樣的情況。不過歐美東洋學中日本學的地位也不亞於漢學，將來若有《歐美的日本學》的計畫則比較適當。

一九九六年九月　　高田時雄

比丘林

（Nikita Yakovlevich Bichurin, 1777-1853）

加藤九祚

現今西伯利亞及蘇聯占領的中亞，亙古以來住了各式各樣的民族。關於這些古代、中世的民族，依時代資料參差不齊，但是阿拉伯時代之前留下最多資料的則是中國人。《史記》之後，中國歷代的史書所見〈西夷傳〉、〈東夷傳〉便是。

然而，對於長期用俄文的研究員來說，漢文相當難以理解，因此就算知道其中有許多的資料，長久以來也未能利用。特別是古代與中世的民族史更為如此，接下來要介紹的，就是正確的將中國資料翻成俄文，排除此障礙，在中俄之間建立起堅固的知識之橋的人物，聖職者尼雅·比丘林。

為比丘林寫傳記的 N. 史秋金，對他的樣貌做了以下的敘述。「比丘林神父身高中等偏瘦，臉有種亞洲人氣息。下巴的鬍鬚稀少，頭髮是帶黑色的亞麻色，眼睛茶色，臉頰凹陷，顴骨稍微突出。說著強調 O 音的喀山方言。性格稍微容易激動，有點孤僻。工作時旁人難以靠近。認為與其他人說話是浪費時間。六十歲才開始學土耳其語，但因為抱持著先學好會話，再學閱讀的這種想法而放棄。曾經打牌打到很晚，因為遊戲對他來說相當有趣。長期在國外生活的結果，變得不守修道院的規定，修道士只是外貌，並非真的。」

比丘林只是外觀上的修道士，也可以從他被巴拉姆斯基修道院流放時，一起生活的尼可拉・馬力諾夫斯基提到的「比丘林當時懷疑靈魂不滅」一事得知。

尼・比丘林生於1777年8月29日，為喀山縣切庫賽郡比丘利諾村的下級執事僧或者寺廟男僕（棣闕克）之子。父親是農民，沒有姓，被叫做棣闕克・伊薩克夫。八歲時，比丘林進入史爾雅基斯市的合唱學校。1785年轉到喀山神學校，用出生的村名取名叫比丘林。1799年從神學校畢業，以優秀的成績受到喀山轄區的大主教——阿姆烏路西・波度貝多夫的注意，被引薦當神職者，1800年進行落髮式。現代蘇聯作家弗拉基米爾・庫利沃茲夫在比丘林的傳記小說《往長城之道》（1972年刊）中，描述落髮式的樣貌：

「……幾小時後，他頭頂上傳來剪刀的聲音，不只剪了頭髮，還包括他的名字……。比丘林從這個世界上消失，取而代之的是落髮後的人類……。他連自己的名字都不知道。只有落髮時，他與其他的人一起被知道而已。這一瞬間，不僅連過去，甚至未來，對他來說，在這個世界上有價值的事情都必須與之訣別。」

落髮式後，住在原地喀山，但將戶籍移到聖彼得堡的亞歷山卓・涅夫斯卡雅・羅拉（男性）修道院，7月22日成為修道輔祭，一年後1801年8月25日成為修道祭司。此修道院為紀念1204年於涅瓦河攻破瑞典軍的俄國將軍亞歷山卓・涅夫斯卡雅，於1710年建造的俄國四大男子修道院之一。11月，他被任命圍自己從沒想過的要職，也就是喀山館區最大的伊旺諾夫斯基修道院院長，成為24歲就能管理數百人的修道士。這完全是受到阿姆屋羅西大主教的提拔。

作家克利沃夫曾描述當時，他曾在雪地中，發現為了逃脫好色的地主從雪橇上跳下，而不省人事的農奴舞女達夏・伊娃諾娃，並一度為了保護她而把她藏在修道院中。

1802年，他被任命為伊魯庫茲的沃斯涅山斯基修道院院長及附屬神學校的校長，然而在宗教界的成功生涯忽然遭打斷。比丘林被免職，被貶為托波利斯修道院神學校的修辭學教師。理由在傳記研究者中有許多說法，但可以確定的是他違反修道院的規範，造成神學生之間的問題。

1807年聖務院任命比丘林為俄羅斯正教第九次北京傳教團團長及北京斯雷闞斯基修道院的掌院長。俄羅斯正教北京傳教團基於俄國與清國締結的恰克圖條約（1728年6月14日）第五條，為中國長期以來唯一的俄國代表。第一次為恰克圖條約交換批准的1716年，至1896年間，共有18次之多。

比丘林一行人於1807年9月17日從恰克圖出發，1808年1月17日到北京，展開了之後的學者、研究者之旅。比丘林首先先學習中文會話，接下來是閱讀文獻。他也因此開始字典的編纂，14年間完成了一部厚重的字典，並自己修改了四次。除此之外，晚年也發表了許多著作。他在修道院的工作成績，有現在存放在聖務院檔案室的報告書，看起來並不是特別的認真。傳教團的生活也因為1812年後俄國政府縮減資金，相當困苦。

1821年，比丘林用十五頭駱駝運回約四百普特（一普特等於16.38公斤）的中國書籍及其他研究資料，但卻因為伊爾庫茨克的總督及繼任的北京傳教團團長掌院長的匹特・卡面斯基告密，比丘林遭教會審判，以「違反神職者的紀律及不當行為」之名遭罷黜，流放到拉姆斯基修道院終生。然而，在這種嚴苛的試煉下，他卻更熱中於漢學的研究。比丘林能成為不凡的人物也可說是因為這一點吧。

當時俄國的外交部需要了解亞洲的人才。在著名的漢學家提姆克夫斯基（E.F. Timkovskii）推舉下，1826年俄皇尼古拉一世敕令「命修道士比丘林移至亞洲局」，而免除流放，被安置在聖彼得堡的亞歷山卓・涅夫斯卡雅・羅拉大寺院的一個房間。他幾乎沒有參與亞洲局的工作，只致力於自己的著作。當時著名的考古學者、歷史學家威瑟洛斯基 N.I.Veselovskii 寫到「當時（1826年），他展開了不只俄國，連外國的學界都感到震驚且都不知其辛勞的活動。庫拉普洛多 Heinrich Julius Klaproth 提到，比丘林神父獨自進行一個學術團體的工作量。」1828年，比丘林利用中國文獻發表了《蒙古記》、《西藏現狀的記錄。中國資料》。後者於1830年翻成法文，《蒙古記》隨後也被翻成法文。《準噶爾記錄》等被翻成德文。比丘林因而在歐洲東洋學者間聞名。1828年，比丘林被選為俄國科學會通訊委員、1831年被選為巴黎亞洲協會正會員，並四次獲俄國鐵米多夫獎。1828至1830年間，發表多達六冊的著作。1834年刊行著作《十五世紀後的衛拉特語及卡爾梅克史概觀》。

1835年至1837年，比丘林為設立中文學校旅居恰克圖，並為此學校著《中文文法》，1835年出版，後再四版。去恰克圖旅行後，就未再離開聖彼得堡。

1826年解除留放以後，結識詩人普希金，並於《三字經》的俄譯版（1829年）及衛拉特民族史相關的著作加上獻詞贈與普希金。普希金開始關心中國可說是因為比丘林的影響。普希金對比丘林有以下的描述「關於卡爾梅克人的遷徙最有公信力及客觀的資料，皆出自於比丘林神父。他淵博的知識及實在的做事態度照亮了我們與中方的關係。我懷著感謝的心，在此從他未完成的書中取出概括卡爾梅克的部分加以介紹。」

1831年，比丘林向聖務院提出還俗申請。受到聖務總理敏希切魯斯基及外交部的支持，然而尼古拉一世卻在1832年5月20日，決定比丘林「跟以往一樣住在亞歷山卓．涅夫斯卡雅．羅拉，並維持修道士身分。」皇帝的想法至今不明，也許皇帝看出比丘林的思考與行動中有什麼反抗的因子存在。

1844年以後，比丘林的體力急速衰退，因而離開熟人及亞洲局的工作。1849年將自己蒐集到的資料全數寄給神學學院。

比丘林最後的工作乃是1846年受到俄國科學學院的委託，進行大作《古代中亞各民族之資料集》(三部)。於1848年完成，1851年刊行。之後就未有學術活動。1853年5月11日，於自己的僧房獨自去世，隔天安葬於寺院的墓地。墓石上「教父比丘林」ИАКИНФБичурин 字的下方，用中文寫下U shitsin lao chui guan shitse(熱心卻不幸之能人，賦予歷史年表一線光芒。)，生卒年1777年～1853年。

不幸之人(在俄語為「尼維塔切尼」)，應是指從宗教界發跡到脫離的經過。然而或許也可以指他的一生經過。經過150年，比丘林的著作依然時常被使用，其一生也被作家或傳記家作為題材，可知他並非泛泛之輩。雖然爬到宗教界的頂端，但也許這樣的成就或許仍然無法被接受。此外「不幸之人」如果指的是比丘林在孤獨中，無人知曉的情況死去的話，也不能說完全不正確。因為哪個人不是孤獨的死去，就算家境富裕的人也往往是獨自死去。但寫墓碑的人，似乎有其理由，我們姑且不論。我認為，從比丘林死後能夠有人為他寫墓碑這件事情，應該就很難說他是「不幸之人」。

比丘林是一位打從內心深愛中國與中文的人。有以下一段逸聞。比丘林死前，一位在亞洲局工作，精通中國的人前來拜訪。他一句話也沒說。「但是拜訪者開始用中文說話以後，比丘林面露喜色，一開始沉默不語的人就開始用自己喜歡的語言滔滔不絕了起來。」

對比丘林而言中國的一切都是最完美的。與他同時代出生的尼基切克寫到「比丘林熱愛中國及所有有關中國的一切」。對他來說，當時中國的社會制度也是毫無缺點的。前駐日蘇聯大使的中國文學家費德洛哥 N. Fedorenko 認為，比丘林對中國的崇拜是受到伏爾泰的影響。本來就喜歡中國的比丘林，又得到伏爾泰的加持，因而如虎添翼更顯熱中。當時的人揶揄比丘林的中國熱，說「連作夢都在說中文」。

比丘林代表的著作有《古代中亞各民族的資料集》(三部)，剛好在1851年刊行一百年1950年後，經由蘇聯科學學院民族學研究所再度刊行共三冊。本書所謂中亞包含滿州（中國東北）、蒙古、西藏，主要由《史記》至新唐書的史籍中，翻譯有關中亞民族的記錄並加註。比丘林之後無論是俄國蘇聯或歐洲，都沒出現能夠匹敵此書份量的中亞民族資料，而翻譯的高水準也被許多專家指出。

比丘林的翻譯並非逐字翻，也非自由翻譯，而是介於中間。譯者掌握整體的文意，某些地方與本文偏離，用淺顯易懂的方式寫作。現代蘇聯的漢學家邱內 N.V.Kyuner 嘗試將一些自己有興趣的題目的譯文與漢文本文作對照，提出《史記》大宛傳的比丘林譯27頁稿中，有將近五十個問題點。然而邱內提到，雖然有些許偏差和誤譯的地方，整體來看比丘林的翻譯仍是可以信賴且相當有水準。

現在我們日本的研究人員，引用蘇聯研究者在論文中提到關於比丘林譯的中國資料時，都會同時比照漢文原文與譯文，確認引用的地方。而閱讀漢文原文時，有時參考比丘林的譯文更好理解。近來平凡社東洋文庫出版許多關於中亞民族史的漢文日語翻譯，雖然相當方便，但這種情況也必須比對翻譯和原文。另外我也注意到有時候有比丘林譯文卻沒有日語翻譯，或者比丘林的翻譯比日文翻譯正確的地方。

將來或許有一天，俄國蘇聯會出現取代比丘林的新翻譯。但是仍不可否認他的著作及翻譯的功績奠定了基礎，在這層意義上可以說他的功績永遠不滅。而除了他的工作成就之外，他精采的生活方式也持續的鼓舞著我們。

羅伯特・馬禮遜

（Robert Morrison, 1782～1834）

矢澤利彥

大英博物館藏漢譯聖經寫本

巴黎外國傳教會（使用法語的國家的傳教士組成的傳教會）的祭司白日昇（Jean Passet, 1662-1707）於18世紀初期，前往四川省出差，監督四川省的傳教，他翻譯了從新約聖經〈馬太福音〉第一章至〈希伯來書〉第一章（新約聖經大約六分之五的量）。白日昇譯的聖經原文一直放在四川省，提供在該省傳教的傳教士參考，但寫本不知道是白日昇還是其他傳教士，拿到廣州，再做成寫本教到英國東印度公司的員工手上，最後被送到英國，成為大英博物館的藏書。此聖經最大的特色是沒有獨立馬太、馬可、路加、約翰四個福音，統合成一部福音書。

白日昇死後百年，有一位英國少年曾因大英博物館的好意，得以在倫敦拼命抄寫白日昇新約聖經。他一天也待不住，非常想早點去中國傳教，因而無法忍受自己寫漢字的速度緩慢，中途請自己的中文老師楊三德幫忙抄。他後來就帶著這本抄寫本去東方，此寫本現在收藏在香港大學圖書館。

年輕的馬禮遜

這位青年就是首位待在中國的新教傳教士羅伯特・馬禮遜（Robert Morrison, 1782～1834）。馬禮遜於1782年生在英格蘭北部的諾森伯蘭，一個有虔誠信仰的家庭。父親蘇格蘭人，馬禮遜本來一直在家中幫忙做木頭鞋子，15、16歲的時候首度受洗，進入長老教派學習古典語言。他越來越無法抑制自已想傳教的意念，1804年，他申請進入十年前設立的倫敦傳教會，請求去某地方傳教。傳教會同意他的入會，他進入戈斯波特的傳教學院，學習身為傳教士不可荒廢的各種學科。

倫敦會於1805年就開始計畫去對中國人傳教。在中國領地的居民，由於清朝不允許外國人入境，很難直接傳教，但在歐洲各國勢力下的地方，就可以向當地的華僑傳教。此種做法成為當時主流以後，便開始要決定人選。有人提議要轉用去過南非的老傳教士，但本人不同意，另外一個候補的人也拒絕，結果機會就這樣輪到馬禮遜這邊。馬禮遜與中文的邂逅就從此開始。他本來對語言就有很高的天份，偶然遇到的中文，他也毫不保留的發揮這個長才。如前述，馬禮遜中文的啟蒙為受過一定教育的中國人楊三德，也是位自尊心高，帶些許傲慢的人。他在這位有狂熱的老師下學習，最後終於進步到可以抄寫大英博物館藏的漢譯聖經。

前往廣東

英國東印度公司，後來連英國外交當局、議會及生意人對英國傳教士去中國傳教一事都終表示不贊成，甚至可以說是阻礙其活動。其原因主要是因為傳教士反對將鴉片輸往中國。馬禮遜就算決定要去中國，也無法取得獨佔中國貿易英國東印度公司的乘船許可，因而不得已只好先經由美國前往中國。1807年，他於是先前往紐約，受到美國人熱情的迎接，國務卿詹姆斯・麥迪遜（James Madison, 1751-1836）還將駐中國美國領事的介紹信交給馬禮遜，馬禮遜便攜帶這封信到了紐約，1807年9月登陸澳門。首先先和英國東印度公司「特別委員會」的議長小斯當東（George Thomas Staunton, 1781-1859）會面，小斯當東一開始以冷淡的態度告訴他，除了東印度公司的人員及從事貿易的人以外，不允許其他英國人駐留廣東，而馬禮遜想待在澳門，從當地有根據地的天主教主教及祭司的來看，幾乎是不可能的。馬禮遜也表示自己好不容易學了中文，希望能夠得到協助。而當馬禮遜提到在美國的領事及洋行長希望在廣東蓋一棟房子，小斯當東才立刻將他介紹給北京天主教司祭的代理人且剛好又在廣州的天主教徒容光明，讓這位中國人當他的中文老師。這位容光明及一位學識豐富叫秀才的文化人，給馬禮遜許多語言學習上的協助。馬禮遜也因此只念書不運動造成健康問題，醫師勸他找地方療養。1808年7月受到拿破崙戰爭的衝擊，英國軍隊占領澳門要塞，當時馬禮遜也在澳門療養。痊癒之後返回廣東，但又被英國人暫時流放，回到澳門。在澳門的這段期間結識瑪麗・莫敦，兩人相戀後結婚。

東印度公司與馬禮遜

如馬禮遜與英國東印度公司的關係一樣有趣的事情並不多。馬禮遜與莫敦女士結婚後，隔天收到一封公司的信，信中提到以年薪五百磅的價碼請他當翻譯。一度拒絕他的公司究竟為何現在改變了態度，如果只是需要貿易層面的話，洋徑濱（商業用語的腔調，只使用單字的混合語）就夠了，但東印度公司或者說英國，因為不得不排除所謂廣東貿易獨佔商人團的公行，所以需要可以將外交、經商文書用中文書寫的翻譯者。姑且就讓表面上被拒絕的馬禮遜來做，既有企圖心中文也很好，這可能也是受到小斯當東的推薦才讓公司改變態度。

另一方面馬禮遜雖然從傳教會獲得補助，但若是要買中文書籍、買送給老師禮物的時候就會不夠用，且工作也很不穩定，新婚家庭的未來可說是籠罩在一片愁雲慘霧中，因此公司的提議可說是令人喜出望外。馬禮遜於是接受了這個提議，之後年俸五百磅也增加到一千磅。而這份工作似乎也非永久的（1815年一度被解雇），公司也不太滿意馬禮遜只專注於聖經的翻譯。馬禮遜身為一家以賣鴉片買茶為基本方針的公司翻譯，自然也飽受許多評論，但從當時英國人想待在東亞做事情的話，一定得和東印度公司有所牽連來看，似乎也無可厚非。1816年英國為了拓展英清關係派遣阿美士德使節團至中國時，馬禮遜擔任翻譯前往北京，成為英國政府派廣州最早的商務監督──律勞卑的正式翻譯員。能用自己特殊的才能為國家效勞，馬禮遜也是在所不辭。

神天聖書

帶著大英博物館收藏漢譯新約聖經抄本（我在一九六七年刊〈近代中國研究中心彙報〉9中發表，認為這是巴黎外國傳教會的祭司巴斯的翻譯抄本。這個抄本以往被認為是由天主教傳教士翻譯，但未有認為是巴斯譯的。）的複寫本來到中國的馬禮遜從一開始就傾全力翻完新約聖經，似乎也不是什麼神奇的事情。能夠翻譯聖經幾乎是所有擁有外語能力傳教士的夢。馬禮遜將〈使徒行傳〉、〈路加福音〉以半古語、半口語的方式中譯，並用木板印刷送到英國。時為1810～1811年左右。1812年，在廣東一直支持馬禮遜的小斯當東回到英國。英國聖經協會在這時轉達如果完成中文聖經的翻譯則支付五百磅。1813年倫敦會派威廉．米憐（William Milne）前來協助翻譯，此人也有不輸給馬禮遜的語言天分，是位學者型人物。他在澳門、廣東待不下去，暫時前來跟馬禮遜學習中文，之後前去荷領東印度諸島，定居在麻六甲，他的語言天份對馬禮遜完成中文舊譯聖經有很大的幫助。新舊譯聖經於1819年十一月完成，然而出版卻要等到一段時間後，以《神天聖書》（21卷）公開出版為1823年於麻六甲。其中引人注意的是馬禮遜譯的新約聖書中，將聖靈稱作聖風，受白日昇版的影響很大。《神天聖書》未記錄初版年，又拖了很久才出版，甚至米憐都去世了才出版，這些都很令人匪夷所思。

英華學堂

可說是馬禮遜的弟子米憐安定在麻六甲後，就打算蓋一間教育中國人的學堂，在1816年取得土地。1818年間馬禮遜在此建造了英華學堂，一方面教導英國人中國文化，一方面也教導使用漢字的人西洋文化。馬禮遜為校長，米憐主要掌管實際業務。馬禮遜一開始捐五百磅，之後每年捐一百磅給學堂。東印度公司也一度捐了補助款。建築物於1820年完工。馬禮遜似乎打算讓東方與西方文化代表人物在此相互理解交流，可惜這個想法在當時過於理想。1822年米憐在出版《神天聖書》前去世，英華學堂也無法如馬禮遜期待培養出有志氣的學生，最後淪為教育為外國企業工作的華裔學生之場所。

中文語法書與中文詞典

1812年左右，馬禮遜完成中文文法書 *A Grammar of the Chinese Language*〈通用漢言之法〉。由於在出版上一直遭遇到困難，後來只好拜託「特別委員會」出書。然而原稿卻輾轉送到孟加拉，交給當地學中文的馬士曼（Joshua Marshman）的手中。而馬禮遜的書在孟加拉賽蘭島發表的前一年1815年時，馬士曼的中文語法（*Elements of Chinese Grammar*）已先出版。有趣的是，我雖然也還沒有看過，但馬士曼的漢譯聖經也比馬禮遜的《神天聖經》早先公開發表。

馬禮遜所刊行最重要的著作為 *A Dictionary of the Chinese Language* 三部六冊。此書在澳門與倫敦從1815至1823年間印刷出版，耗費了馬禮遜所有的精力，實如刻苦勤勉一言所言，是非常辛苦才完成的字典。整本為一高達四千六百頁的大作，東印度公司還為此支出了一萬兩千磅的出版費用。這本書受到法國以漢學傳統自居的名學者嚴厲的批評，但馬禮遜對自己的能力也有極大的自信因此沒有做任何的辯解。英國從來就沒有漢學的傳統，馬禮遜也因此未受到傳統的拘束，建立起與學術無關的英國漢學，開闢了一條自己的道路。在完成聖經與文法書與字典之後，馬禮遜可說是為往後去中國傳教的新教傳教士立下了基礎，而他與米憐共同的弟子梁阿發寫的《勸世良言》也對洪秀全建立太平天國有了很大的幫助。

疲憊的馬禮遜

馬禮遜最初的妻子瑪麗身體羸弱，1815年她帶著兩個孩子回到故鄉，六年後才回來澳門，卻因霍亂而病逝。因為這件事加上當時字典已經刊行，1823年末，馬禮遜一度回國，獲得被英國國王喬治四世（1820～1830）召見的榮譽。回國期間和伊莉莎白・阿姆斯特倫女士結婚以維持家庭的完整，婚後搬到倫敦近郊居住，書寫了幾篇關於中國的論文。1825年因身體情況好轉，於是向公司請求和家人一起回到中國，但卻意外的得到只能單身前往，家人不能同行的回覆。正當他想提出抗議的時候，公司又不知道受到什麼事的影響允許家人全體同行。1826年5月搭船回中國，返回原本的職位。之後家人住在澳門，自己則是在貿易期間住在商館及船上，而英清關係也因鴉片問題逐漸惡化。1834年起東印度公司的中國貿易獨佔權被廢止，該年商務監督（實為公使）律勞卑於廣東就職，馬禮遜以年薪三百磅被任用為政府的中文正式翻譯官。馬禮遜很高興得到了公職，從此可以過安定的生活，不幸地當時他卻身染重病，在還沒有充分為國家奉獻他的語言能力時就已經病死他鄉。

參考文獻

Eliza Morrison, *Memoirs of the Life and Labours of Robert Morrison*（馬禮遜的生涯與貢獻） 2 vols, 1839.

William John Tounsend, *Robert Morrison, the Pioneer of Chinese Missions*（馬禮遜，中國傳教的先驅） New York（無日期）.

Lindsay *Ride, Robert Morrison, the Scholar and the Man*（馬禮遜，其人與學者） Hong Kong, 1957.

Jacques A. Blocher, *Robert Morrison, l'apôtre de la Chine*.（馬禮遜，中國的使徒） Paris, 1938.

朱利斯・克拉普拉特

（Julius Heinrich Klaproth, 1783～1835）

高田時雄

進入十八世紀後，漢學逐漸醞釀成為一門專門學科，主要乃靠雷慕莎及克拉普拉特兩位學者的出現。克拉普拉特為德國人，但後半輩子多在巴黎度過，大多數的著作也都以法文發表，這意味著雷慕莎和克拉普拉特可被視為領導法國漢學進入全盛時期的貢獻者。與雷慕莎不同的是，克拉普拉特的研究對象不限於中國，包含整個亞洲地區，甚至年輕時還前往西伯利亞、高加索進行實地調查，發展出雷慕莎未擁有的豐富度。以下就簡單介紹這位罕見的學者的生涯及研究。

生涯

朱利斯・克拉普拉特（Julius Heinrich Klaproth）於1783年10月11日出生於柏林，比阿貝爾・雷慕莎早五年出生。父親馬丁・克拉普拉特（Martin Heinrich Klaproth）為發現鈦、鈾、碲等元素的著名化學家、礦物學家。年輕的時候在父親的影響下，對化學、礦物學、植物學等有很高的興趣，也有長足的進步，但終究難敵東方語言的魅力。當時柏林王立圖書館收藏的中國書籍尤其吸引他的注意，成為他開始研讀語言的機緣。時為克拉普拉特十四歲。當時他著手編纂的大型中國語彙集(*Vocabularium Characteristico-Sinico-Latinum...*)[1]未被刊行，今日仍沉睡於波蘭的克拉科夫，但此為克拉普拉特少年期學習中文的殘留紀念。天賦加上積極的努力，克拉普拉特的中文顯現出過人的成績，1802年19歲時發表二卷四部《亞洲雜誌》(*Asiatisches Magazin*)，使這位年輕的天才名於世界，吸引有識者的注目。與波蘭的貴族波托茨基相識也是在此時。1805年，為了解決黑龍江的歸屬問題，俄國出現派遣哥羅夫基使節團去中國的意見，波托茨基伯爵也被任命為隨行的學術團長，並以俄皇學院的亞洲語言亞洲文學準會員的名義成為克拉普拉特的隊員。由於可以自由進行某些程度的活動，克拉普拉特於是利用這難得的機會尋訪西伯利亞各民族，與他們直接相處的同時，調查語言、人種、民俗等，這可說是貪心的好奇心所致。使節團最後雖然到了恰克圖，但終究無法與中國取得和解，也就無法進入中國。而克拉普拉特利用在恰克圖的時間學習蒙古語，增進自己的滿文，並取得大量的滿漢書及藏文、蒙古文的書籍。1807年克拉普拉特回到聖彼得堡受到熱烈的歡迎，3月11日經由額外選拔獲選為學院的正式會員，9月15日又再度受到波托茨基伯爵的推薦前往高加索進行新的訪查。在惡劣的環境下失去團員，自己也身染烈病的情況下，訪查進行的很不順利，1809年1月終於苟延殘喘的回到聖彼得堡，但完全康復則要等到該年的秋天。1810年，克拉普拉特在維爾紐斯大學(立陶宛的維爾紐斯)的請求下，一同前去參與該大學亞洲語言學校的計畫的同時，收到教育部長的委託製作滿漢書目錄，8月完稿。隔年1811年，被派到柏林監督目錄印刷所需的活字鑄造，之後任務結束也未再回到聖彼得堡，因而喪失了所有俄國貴族的稱號及學術上的地位。當時正值拿破崙戰爭，雖然持續好幾年都是困苦的生活，

---

1 這本語彙集記錄從1800年5月17日開始編纂的日期。包含本書，柏林圖書館收藏的傳教士及早期中國學者所有的中國相關抄本共有十四類二十二冊，二次大戰後由波蘭接收，藏於亞捷隆大學的亞捷隆圖書館。

但他對研究的熱情一點都沒減少，克拉普拉特於是在分隔波西米亞及西里西亞的山中小村威爾布魯（Warmbrunn）中避難，一方面進行研究，另一方面繼續發行著作。之後又到義大利旅遊，拜訪了在易北島的拿破崙。克拉普拉特一直以來都很想在法國生活，據說因此接受了拿破崙的金錢資助，以及答應完成俄國邊境各民族的著作。然而拿破崙從此一蹶不振，克拉普拉特於是在佛羅倫斯的旅舍中陷入苦惱，最後他下了決心，在不設任何前提下用僅剩的一些財產，於1815年到達巴黎，也得到波托茨基伯爵的幫忙。正巧他也在當地認識威廉・馮・洪堡[2]，經由他的推薦得到普魯士政府教授的稱號及高額的補助，甚至還得到七萬法郎的出版經費，同時對方還提出希望研究完成前能待在巴黎這個求之不得的條件。克拉普拉特因此得以在把1835年8月27日去世前終生待在巴黎進行研究和出版。最後順帶一提，克拉普拉特受聘的大學教授職位，是1816年馮・洪堡設立的腓特烈・威廉大學東方學的職位。這比雷慕莎被聘為法蘭西公學院的漢學講座教授只晚了兩年，是第二個位居歐洲漢學講座的人，可惜克拉普拉特死後沒有後繼者而遭廢除。

成就

克拉普拉特工作的領域相當分歧。從他《亞洲論集》（*Mémoire-srelatifs à l'Asie*，巴黎，1826～1828，下以《論集》略稱）中可被他多元的論文題目震驚，而確保這種多元性的，莫過於他過人的語言能力，克拉普拉特應對當時歐洲東方學所使用的全部語言都具備很高的應用能力。除了留下波斯語及亞美尼亞語的翻譯，漢文及滿文尤其是

2　石田幹之助認為是弟弟亞歷山大，但應該是威廉比較正確。哥哥威廉在當時第二次談和會議上以普魯士全權代表的身分留在當地。米修的人名字典裡也是威廉。

他的專長。甚至不只是書寫，就連沒有文字的亞洲各民族語言之相關知識也都具備，並以《亞洲的各種語言》集合其淵博的知識，其中包括亞洲各民族語言的總覽，分成二十三類一一解說。1823年，巴黎發行。1829年初增補改訂版。克拉普拉特又編纂了一本可以取代阿德隆（Friedrich von Adelung）的新《Mithradates》，其中涵蓋各語言的文法解說及例句，理論上也有世界各語言的比較詞彙表及各民族間的文字體系表，但後來未出版。克拉普拉特對亞洲各語言的論文有〈科普特語與北亞、東北歐語言的相近性〉、〈巴斯克語亞洲各語言的比較論〉（《論集》第一卷所收）、〈新舊大陸民族與語言〉（《論集》第二卷所收）、〈哈薩克族與吉爾吉斯族的語言〉（《論集》第三卷所收）等為數眾多，多為語言的詞彙比較，現在看來不能說有很高的價值。但《維吾爾語言文字考》（*Abhandlung über die Sprache und Schrift der Uiguren*, 1812，柏林出版，1820，巴黎再版），對當時種族的歸屬議題如維吾爾族是否為突厥民族等，利用各種資料引證，另有附錄〈高昌譯詞〉。

克拉普拉特雖然沒有像雷慕莎著關於中文文法的書，不過因為年輕時也編過字典，有自己一貫的主張，對當時歐洲新出版的字典多持批判性的態度。1819年，在巴黎出版《中文辭典補遺》，這本書是1813年受拿破崙之命而寫，由多．基紐出版，以法蘭西會士葉尊孝（Basile Brollo de Glemona）的字典為基礎，增訂修補而成，首卷甚至刊載雷慕莎辛辣的「批判檢討」。這本《補遺》只有第一分冊出版，其他並未出版，而1815年馬禮遜出版的字典也有很多錯誤，被批評如果不追溯至原典則無法了解意思[3]。滿文除了《論集》第三卷所收的書評之外，也有適合初學者的《滿文選》（*Chrestomathiem and*

3 提姆科夫斯基《北京遊記》法譯本。（巴黎，1827，頁539，注。而1830年《有關馬禮遜博士的中文辭典的最終結論》（*Dernier mot sur le Dictionnaire du Dr. Robert Morrison*）裡的小冊子以石板印刷出版，而其中也可見執著的克拉普拉特。

chou'，巴黎，1828），這本書長期被多方使用。

克拉普拉特的調查之旅為他的學問立下了基礎，經由他的手完成的地理學、民族學、語言學等詳細調查報告也有很大的貢獻。第一次的報告於俄國學院發表，並未出版，但第二次高加索探險的《1807、1808高加索及喬治亞旅行》（*Reise in den Kaukasus und nach Georgien in 1807 und 1808*），哈雷、柏林，1814）則有出版，包括附錄《高加索語言》（*Kaukasussprachen*，哈雷、柏林，1812、1814）。而無法前去調查的東高加索也利用筆錄搜集資料出版《東高加索的歷史及地理》（*Geographische und historische Beschreibung des östlichen Kaukasus'*，威瑪，1814），皆受到學界重視，之後還有英譯本、法譯本。

克拉普拉特最頂尖的研究之一為使用廣泛的文獻所做成的歷史地理研究。皆收錄於《論集》三卷中，也可見於《亞洲雜誌》（*Magazin Asiatique, ou Revue géographique et l'historique de l'Asie central et septentrionalé*）中。在此姑且舉一例。以往在歐洲，並未有人知曉分布於遼東半島東南的群島，克拉普拉特卻在康熙原圖的寫本中發現，並命名為波托茨基群島。波托茨基群島無論是在傳教士的所持的達爾文地圖中，或曾經過附近海域的馬嘉爾尼使節團都未曾發現。雖然這個名字最後並沒有被廣泛採用，但可窺見克拉普拉特對波托茨基伯爵的情重義深。而這項研究也於1820年發表於巴黎，收錄在《論集》第一卷。提到歷史地理不得不提的莫過於《亞洲歷史地圖》（*Tableaux historiques de l'Asie*，巴黎，1826）。該書有阿契美尼德王朝居魯世王至當時的歷史地圖，總共二十七張，儘管有許多地方因參考資料不足留白，但仍為當時最高水準的作品。克拉普拉特另外也騰出時間在馬可波羅的註釋上，最後卻沒有出版，但在《論集》中可見其中一部分（第二卷〈澉浦及刺桐考〉）。

克拉普拉特在蒐集文獻上相當狂熱，也可說是一位藏書狂。聽說常出現如想要將聖彼得堡及巴黎圖書館的書及全部占為己有等。雖然也很努力的想取得漢文書籍，但同時也常常將書籍讓給其他漢學家[4]。在當時歐洲的學者中，雷慕莎應該是和他最常共用書籍的人了。克拉普拉特於是留下了兩類漢籍目錄。一類是聖彼得堡的目錄，另一類為柏林的目錄。前者《帝國學士院圖書館藏漢滿書集寫本目錄》（*Verzeichniss der chinesischen und mandschuischen Bücher und Handschriften in der Bibliothek der Kaiserlichen Academie der Wissenchaften*）成書於1810年，其長篇的稿本卻沒有出版被亂丟，至今也仍未被發現[5]。後者《柏林王立圖書館藏漢滿書集寫本目錄》（*Verzeichniss der chinesischen und mandschuischen Bücher und Handschriften der Königlichen Bibliothek zu Berlin*）於1822年出版。在此之前歐洲的漢籍目錄僅有傅爾蒙的巴黎目錄及慕勒的柏林目錄，都只限於杜撰，真正最早的目錄為這兩類。

克拉普拉特對學界的貢獻仍有許多其他學者的著作翻譯及出版。里昂特希《滿文考》（Letters sur la littérature mandchoú，巴黎，1815），提姆科夫斯基《北京遊記》（*Voyage a Pekin*，巴黎，1827），比丘林《西藏志》（*Description du Tubet*，巴黎，1831）等，都是將俄國著作翻譯成法文出版，卻不僅僅只是翻譯，也添加了註釋，必要的時候也進行增補修訂，希望能夠減少缺漏。另外出版波托茨基伯爵《阿拉斯特罕草原及高加索遊記》（巴黎，1829），蒂進《日本王朝一覽》（巴黎，1834），也與蘭德雷斯共同出版雷慕莎的遺作《法國記》（巴黎，1836）。

---

4 例如義大利的漢學家蒙圖齊（Antonio Montucci, 1762-1829）的書多向克拉普拉特購買。

5 *Katalog der chinesichen und mandjurischen Bücher der Bibliothek der Akademie der Wissenschaften in St. Peterburg*, zumersten Mal aus dem Manuskriptherausgegeben, von Hartmut Walravens, Berlin, C. Bell Verlag, 1988。需注意書名有些許差異。

克拉普拉特的研究成就實非這短短的一篇介紹文可以詳述的，更詳細的內容請參照其著作目錄[6]。

結語

儘管克拉普拉特的確是一位天才，但也因為他好強的自尊心難以與世間相容，而常常以論爭、批評等形式以抒發他的完美主義。除了針對維吾爾的歸屬與俄國施密特進行爭論，以及批評蘭德雷斯對滿文的理解等廣為人知外，在他的著作中也可看見他對當代的東方學者也常出現言辭犀利的批評，唯一倖免的大概只有雷慕莎。也有人認為，如果他將辯論的時間拿來做研究的話，應該可以有更大的成果才是。

雖然各方對克拉普拉特人格與生活態度的批評不斷，但在他學問上的評價卻是大相逕庭。的確克拉普拉特的生活方式常常有脫軌的情形，在巴黎的私生活也十分放蕩，有人推測這可能是他早逝（48歲）的間接原因。而這些批評在現在看來，卻是可以完整的將克拉普拉特一人完整呈現的素材，十分吸引人。筆者在此介紹柯蒂埃從古書中找到的一段話，並以這段話作為本文的結尾。

身為德國人，卻在巴黎久居的克拉普拉特，看起來有點冷酷，有時又有點像德國的間諜。法國東洋學的皇宮席維斯（Sylvestre de Sacy'，1758～1855）[7]於1817年2月1日寄給聖彼得堡的賽吉・歐發羅（Serge Semenovich Ouvarov，1785～1855）以下的一封信。「在仔細思考他的行為之後，不得不讓人懷疑他是不是長期受雇的間諜，甚至是危險的間諜。從別人那得知，他從聖彼得堡被驅逐，又被學會除

6 附載於克拉普拉特的藏書拍賣目錄*Catalog des livres imprimés, des manuscrits et des ouvrages chinois, tartars, japonais, etc. composant la bibliothèque de feu M.Klaproth*（巴黎，1839）。

7 歷任1818年俄國學院院長1833年教育部長。1840年任伯爵。1820年被選任法國金石文藝院的外國會員。

名。我為了知道事情的真相可以不惜一切代價。因為要是缺少名譽和誠實，我是怎麼樣都不會重視才能的。無論遇到什麼事情我都不會給您帶來麻煩，希望你能夠得到您的協助，以此說明。」

同年三月歐發羅回覆「他在俄國的事情真是十分的寡廉鮮恥。他被吩咐鑄造中國活字，還因此拿了一大筆錢被派去柏林，但竟然拿著那筆錢和貴重的抄本不知去向。我考量到他受人尊敬的父親不會公開譴責他，但已將他從學院的名單上清除。俄國政府在短期之間也會將克拉普拉特氏恥辱的行為以及他應受的處罰通知歐洲當局。若是正義之士應會對克拉普拉特氏的行為及做法有相同的想法。而普魯士政府竟然知道這件事情還對他如此信任，真是難以置信。但說實在的，我也被他的資質所吸引，還有我對文學的熱情，也使他成為俄國中我最有興趣的一個人。但現在想這些都很後悔，就算有知識和能力卻也無法覆蓋他低劣的魂魄，令人不勝唏噓。」

主要著作、評論

克拉普拉特的著作在文中無法完全提及，僅舉主要的著作。《亞洲論集》（*Mémoires relatives à l'Asie*, Paris, 1826-28）可說是克拉普拉特的論著選集，對於了解他的研究主題相當有用。

克拉普拉特傳可參考米修（Michaud）的人名辭典（*Biographine-universelleancienne et et moderne*）「Klaproth」的項目（J.B.Eyriès 執筆）、柯蒂埃 Un orientalisteallemand Jules Klaproth, *Comptesrendus des séances de l'Académie des Inscriptions et Belles-Lettres*, 1917注（5）瓦魯拉凡斯的前言、石田幹之助氏的《歐人的中國研究》（1933年，東京，共立社書店）。石田氏書中克拉普拉特傳，幾乎都從米修的人名辭典而來，但為日文資料中最詳細，參考價值最高的書。而瓦魯拉凡斯現在也在準備克拉普拉特的專題論文，我們可以拭目以待。

珍-皮耶·雷慕沙

（Jean-Pierre Abel Rémusar, 1788-1832）

高田時雄

十六世紀末真正開始到中國傳教的傳教士，傳教也是其中一個因素，從一開始就編纂了辭典和文法書籍。這些書籍往往透過某些機緣被帶到歐洲，而也有很罕見被傳教士帶回歐洲的中國人。因此除了當地的傳教士以外，在歐洲也並非完全沒有接觸中文的機會。然而嘗試想學習這個異文明世界的語言文字的人並不多，最主要還是研究的環境並不十分成熟。十七世紀德國波美拉尼亞地區的修行僧侶雷慕沙（Andreas Müller, 1620-1694）及布蘭登堡公國的門澤爾醫師（Christian Mentzel, 1622-1701）可說是最早開始中文研究的人，但精力大多用在學習複雜的漢字，並未深及中文文獻的正確解讀。到了十八世紀，在聖彼得堡的學院並生於柯尼斯堡的德國人拜耳（Gottlieb Siegfried Bayer, 1694-1738），才開始根據傳教士的資料，較有組織性地把中文的解釋書《漢語博物論》（1730年聖彼得堡刊登, Museum Sinicum）用拉丁文出版。另外，在法國太陽王路易十四世時的法蘭西公學院教授阿拉伯文的傅爾蒙（Etienne Fourmont, 1683-1745）也在進行中文的研究，並於1742年用拉丁文刊行巨作《華語語法》（*Grammatica Sinica*）。這本書大量採納西班牙道明會教士方濟國（Francisco Varo）的《官話語法》（1703年廣東發行，*Arte de la lengua mandarina*）卻未提及此事，因此成為後世批判的焦點而得名。

但無論是拜耳或傅爾蒙，都很難說是完全學會中文的人。傅爾蒙門下有戴索特雷（Le Roux Deshauterayes, 1724-1795）和德金（Joseph de Guignes, 1721-1800）二人。前者是法蘭西公學院的的阿拉伯語教授，後者同樣是敘利亞語的教授。兩人都跟傅爾蒙學中文，有相當的成果。尤其是著〈北狄通史〉（1756-58年巴黎出版，Histoiregénérale des Huns）的德金的聲名，跟他提出中國是埃及的殖民地的說法一樣廣為人知。對人相當批判的傅爾蒙在法蘭西公學院的就職演說上曾說「從未踏上中國的土地但能讀懂中國文獻的，大概只有德索特雷跟德金而已」，對此二人有比較正面的評價。此二人在雷慕沙學中文的時候就已去世。如此歐洲的漢學的序幕，就將由天縱之才雷慕沙建立起漢學的穩固基盤，可以說是雷慕沙出現之後，歐洲漢學才終於真正的確立。

雷慕沙（Jean-Pierre Abel Rémusat）出生於1788年9月5日的巴黎。父親是普羅旺斯格拉斯（Grasse）人的珍-亨利・雷慕沙（Jean-Henri Rémusat），是國王的專屬醫生之一。母親是貝桑松出生的珍-法蘭西瓦・安德烈（Jeanne-Françoise Aydrée）。記憶希臘文、拉丁語等古典語言、神話、古代和現代史、甚至植物的名字等，皆是小孩時期雷慕沙的主要興趣，據說他不僅僅滿足於背誦，還有整理寫成文章的習慣。如果說人總會有某個決定一輩子發展的偶然契機，對雷慕沙來說可能就是這件事情。當時「森林修道院」（Abbaye-aux-bois）的德桑神父搜集了許多古董文物，並設立圖書館，形成類似研究博物館的地方。雷慕沙有一次偶然在這裏看到大本的中國草藥書。雖然可以從許多正確的圖來猜測可能是幾種看過的植物，但終究還是看不懂文字，無法知道植物的名字。（石田幹之助說這本書是〈當成本草綱目的浩瀚的植物學書〉，可能是誤解。）從那次開始，雷慕沙便毅然決然的涉獵相關中國的著作，並獨自與中文奮鬥。從當時的情況來看，這完全是不經大腦的作法，但雷慕沙似乎已經從這裡看到自己未來的路。在此挫折降臨。1805年，一家之柱的父親過世，家裡沒有收入。

十七歲的雷慕沙只好進中央學院（Ecole Centrale）研讀醫學。或許是出於必須自己一個人養母親的責任感，雷慕沙只能選擇將來會有穩定收入的醫學。無法將時間分給自己喜歡的語言學習多少也有悔恨，但雷慕沙並未放棄中文的研究，仍孜孜矻矻持續。雷慕沙如果可以利用王立圖書館收藏的許多傳教士使用的字典，應該可以更早學會中文，然而這些資料在戴索特雷跟德金死後，就沒被任何人利用閒置在此。儘管如此，雷慕沙這時期鑽研的結果仍匯集成處女作《漢文簡要》（1818年巴黎出版，*Éssai sur la langue et la littérature chinoises*）。雷慕沙在序文中寫到，唯一的參考資料就只有自製的字典和朗格萊借的《正字通》和《清文鑑》。這一小本書簡單說明中國語言文字及文學，以及收錄幾個文本的翻譯，因為相當的精確且有以往所沒有的實用性，獲得相當高的評價，雷慕沙也一舉成為當代中文的第一把交椅。他也因此被推舉為格勒諾勃、貝桑松的學術院會員，得到和當時東洋學的巨匠沙西男爵（Silvestre de Sacy, 1758-1838）的賞識。沙西也成為雷慕沙一生的支柱。至此之後，雷慕沙的路途開始比較順遂。首先1813年獲得巴黎大學的醫學博士學位，隔年1814年8月9日獲任法蘭西公學院的中文教授。法蘭西公學院很早就有希伯來語、阿拉伯語、敘利亞語的課程，在1768年設立土耳其語、波斯語，至此又新開設中文和梵文的課程。中文的課程是歐洲最早的課程，比起俄國的1851年、英國的1876年都還要早得多。擔任如此值得紀念的中文課程，正確來說應該是中國及韃靼滿洲語言文學課程（Chaire de langues et littératures chinoises et tartars-mandchoues），雷慕沙當時只是年僅26歲的青年而已。之後他更在1816年被推舉為金石文藝學院（Académie des Inscriptions et Belles-Lettres）的會員。同年，更被委任編輯王立圖書館藏的中國書的目錄，得以自由的使用幾年以前無法看到的豐富文獻。以前傅爾蒙曾經做過類似的目錄，不過不是很完整。雷慕沙此次重作新的目錄，打算附加詳細的註解跟作者的傳記。

然而計畫過於龐大，還沒完成就結束了。有些計畫中寫的傳記還收錄在雷慕沙的文集中。

一帆風順中，有時也有挫折。雷慕沙在1812年曾經一度求職法蘭西公學院。他在同年9月20日寄給老朋友珍德（François Jandet）的信中說「法蘭西公學院的的事情大概不行了。不再想了」。然而兩年後透過沙西男爵的強力推薦就任時，他意氣軒昂的說「德金雖然在中國住了十四年又做了字典，朗格萊似乎好像說他比較適合這份工作吧，但可惜他還不知道一個雷下來把這不幸的注目一起粉碎掉了」，可看出雷慕沙好勝且侵略性的個性。德金是前述約瑟夫·德金的兒子，長年以外交官身份停留中國，更於1813年剛出版了比拿破崙的壽命還長的《漢字西譯》（*Dictionnaire chinois, français et latin*）。不過這本字典只是在方濟派的傳教士葉教尊（Basile Brollo de Glemona, 1648-1704）編輯的字典影本上加上法文翻譯而已，受到雷慕沙激烈的批評。

時間接著往下看，1818年雷慕沙被選為權威學術雜誌〈學者雜誌〉（*Journal des Savants*）的編輯委員，1822年和友人聖馬丁（Saint-Martin）和克拉普羅特（Julius Klaproth, 1783-1835）設立亞洲協會（Société Asiatique），並出版〈亞洲學報〉（*Journal Asiatique*）。跟荷蘭和英國人在東亞殖民設立的不同，這個學會可說是東方學會的組織，擁有歐洲最古老的傳統。英國王立亞洲協會（Royal Asiatic Society of Great Britain and Ireland）的創設比這要晚一年。雷慕沙除了出版作品，也把這個組織管理的相當卓越，發揮了自己的長處。1823年8月，雷慕沙的功績受到肯定，獲法國榮譽軍團勳章。隔年1824年朗格萊去世，他便取而代之成為王立圖書館東方部的主任，1829年繼承恩人沙西的職位就任亞洲協會會長。雷慕沙在此名譽和實質上都成為法國東洋學的第一人物，卻在1832年6月2日席捲巴黎的黑死病中，意外辭世。享年四十四歲。當時正值深愛雷慕沙且常與雷慕沙一起的母親逝世一年後。

雷慕沙所留下的漢學著作涉及多個領域，首先必須先提到他語言研究的作品。1822年付梓的《漢文啟蒙》(*Elémens de la grammaire chinoise*)，不僅僅是法語最早的中文文法書，可能也是用歐語作成的最早且最有系統的中文文法書。此書明確區別古文和官話二者，未一味模仿歐洲古文文法，獨自展現中文的特性，可看出雷慕沙的學養。這和雷慕沙早期唸書的時候，不用傳教士的字典和文法書，而獨自以中文原文進行研究有密切的關係。學生時代的雷慕沙實際上只用自製的中文字典，獨自解讀了到手的中文書。附有1808年日期的雷慕沙的字典手本現存於吉美博物館。雷慕沙對中文深刻的觀察也影響到洪堡的語言哲學，如洪堡著有《致阿貝爾· 雷慕沙先生的信： 論語法形式的通性與漢語精神的特性》(1827年巴黎出版)一書。雷慕沙除了在中文研究是先驅，對胡語的研究也有相當的成就。代表作即是1820年《韃靼語研究》(*Recherches sur les langues tartares*)，雖然只完成了第一卷，但對滿語、蒙古語、維吾爾語、西藏各語言都有正確的描述。雷慕沙和當時的漢學家一樣也精通滿語，常用清朝的多語言字典。另外雷慕沙還留下未完成的多語言佛教用語集《滿漢西番集要》的原稿。

雷慕沙對道教的關心也是早於世人的。《太上感應篇》的翻譯(*Le livre des récompenses et des peines*)也早在1835年出版。他並非輕視儒教的傳統，學生時代他就曾為了學習中文自己抄寫漢文原文和滿文翻譯版的《中庸》全文，並公開出版附有詳細解釋的拉丁、法文兩語翻譯(1918年巴黎出版，L'invariable Milieu)。另外他也翻譯文學作品清代小說《玉嬌梨》(1826年巴黎出版，Iu-Kiao-Li, ou Les deux cousines)。

而在日本最廣為人知則是譯註法顯的印度旅行記《佛國記》(1937年巴黎出版，*Foĕ-koĕ-ki, ou Relation des royaumesbouddhiques*)。此書在雷慕沙生前並未出版，而在過世以後五年，經由朋友和學術上的敵人的克拉普拉特刊行。研究印度古代史最有公信力的資料是由求法僧留下的紀錄，而其中時間最古老的紀錄則是法顯的傳，雷慕沙能慧眼獨具注意到此書，不得不給予極高的評價。雷慕沙的後繼儒蓮（Stanislas Julien, 1899-1873）繼承老師開創的傳統，隨後翻譯了《西域記》、《慈恩傳》等優秀作品。雷慕沙對漢學的角度，往往從中國與其他亞洲地區和世界的關聯入手，他豐富的文獻資料比起從中國內部研究，更傾向用於一般歷史的研究材料，但也有可能因此被批判為表面的漢學。然而雷慕沙的多元成就不能單單以此劃分，他也有當時的限制。雷慕沙的成就仍代表之後法國漢學發展的萌芽，應可在他的文集《亞洲雜錄》三集五卷（*MélanguesAsiatiques, Nouveau Mélangues Asiatiqus, Mélangues Posthumes*）中充分窺見。

主要著書、評傳

雷慕沙的主要著作首先有初期的《漢文簡要》（*Essai sur la langue et la littérature chinoises*, Paris, 1811）及成熟期的《漢文啟蒙》（*Elémens de la grammairechinoise*, Paris, 1822）等有關漢語的著作。而有名的法顯《佛國記》（*Foe-koe-ki, ou Relation des royaumes bouddhiques*, Paris, 1937），雖然時代稍晚，但應仍為雷慕沙的主要著作。而蒐集多樣的論考《亞洲雜錄》本續篇各兩冊、以及死後出版的補遺一冊，也都該視為雷慕沙的著作（*Mélangues Asiatiques, Paris, 1825-26; Nouveau MélanguesAsiatiqus, MélanguesPosthumes*, Paris, 1843）。其他本文中列舉的著作及其他，詳請參照後附的〈雷慕沙著作目錄〉。

雷慕沙傳記大概可參考以下的著作。

首先米修的人名辭典 Biographieuniverselle 刊載的傳記（H. Audiffret 及 C. M. Pillet 所編）為正宗。而《漢文啟蒙》最近的再印版中（1987, Paris, ALA Production, 此為羅尼1857年不用第一版而用第二版的影印）也附有阿道夫・帝也爾的人名辭典 Nouvelle Biographie générale d'A. Thiers, tome 43（1863）的傳。

當代學者所著的作品，則有沙西的 Notice historique sur la vie et les ouvragesd'Abel Rémusat。此書本為金石文藝院1934年7月25日例會中宣讀的東西。《太上感應篇譯註》1939年新版卷頭中所刊之物，上面付有〈雷慕沙著作目錄〉Catalogue chronologique des ouvrages d'Abel Résumat，比較容易看且方便。同樣朗德蘭斯（E.A.X. Clerc Landresse）於1834年4月28日亞細亞協會總會中朗讀的 Notice sur la vie et les travaux de M.Abel Rémusat 也刊載於《亞洲學報》*Journal Asiaqitue* sept. et oct. 1834。

稍微特殊的著作，例如雷慕沙留下介紹稿本、書簡 L.Fer, Papiers d'Abel Rémusat, *Journal Asiatique*, nov.-déc.1894。另外還有雷慕沙所編的漢籍目錄稿本的介紹 Henri Cordier, Abel Résumat, bibliographie, TP, tome III （1902）也同樣有相當有趣的資料。

日語的資料同樣有石田幹之助《歐人的支那研究》（1932年，東京，共立社書店），較為簡單明瞭。

埃米爾·布雷特施奈德

（貝勒，Emil Vasilievich Bretschneider, 1833-1901）

本田實信

經歷與中國研究

貝勒的名字現在越來越鮮為人知。知道的人也多從他英文的著作看到，而知道他是俄國人的人並不多。俄國人名辭典等也看不到他詳細的傳記。然而他的代表作《中世紀中國的西域旅行家紀行》二冊，自1888年刊行以來，已多次再版，並成為關心東西交流史及中亞史必備必讀之書。

貝勒出生於1833年，但出生地及學歷都未詳。1866年以俄帝國公使館的醫官赴任北京，到50歲的17年間都待在該地。他究竟如何學會閱讀中文的不是很清楚，但可以知道他日日夜夜沈浸在漢籍中。北京俄羅斯正教傳教團收集了很多優質的漢籍，他首先利用這一點。接著他也充實自身的藏書。逐漸的，他的研究擴張到中國的植物學、地圖學、西域學。他所做的便是將中文原文正確的解讀，並註以西歐「科學」的解釋，比較雙方，使大家都可以理解。這聽起來並沒有什麼，是理所當然的事，但在百年多前並非如此簡單。他還有醫生的本業。只能利用閒暇，翻譯原文，參考有關的研究書。除了他不凡的努力及專注力，以及縝密的理論思考能力，他同時也受到亞洲研究蓬勃發展的時代背景及周圍的研究環境鼓舞。

北京的師友

大主教帕迪斯，是提供貝勒中國文學各種知識的重要人物。鮑乃迪（Paladius, 1817-1878）從1840年，就參加北京俄羅斯正教傳教團，之後成為團長，合計在中國停留31年，是為博學多聞的偉大漢學家。貝勒透過他的幫助，得以自由使用傳道會的中文書籍。

英國傳教士、同時也是著名的漢學家偉烈（Alexander Wylie, 1815-1887）也因此成為他的知己，並協助他校正，使論文得以順利出版。

梅輝立是一位曾經（William Frederick Mayers, 1839-1878）和查理・喬治・戈登（Charles George Gordon, 1833-1835）於太平天國之亂時一起參與蘇州附近戰爭的英國公使館書記官，著有中國外交史的專書。他和貝勒之間交情甚篤，並高度評價貝勒的學識。

貝勒也和德國公使館的翻譯鄂蘭（C. Arendt, 1838-1902）也有緊密的交情，常常詢問他艱難的中國文獻的解釋。

貝勒在北京期間，不只與俄國學者，也有許多與英國和德國傑出學者深交的機會。他的作品多用英文書寫，並刊載在《亞洲文會北華分會年刊》(*Journal of the North-China Branch of the Royal Asiatic Society*)(略號 *JNCBRAS*）的其中之一的原因，就是因為和英國人相好的關係。

植物學

貝勒的植物學，並非採集標本，或許應該說是本草學比較適合。他把《本草綱目》記載的草根木皮類與歐洲的植物相比較，並試圖訂定品種。〈中國植物誌〉一文，以 Botanicon Sinicum. Notes on Chinese Botany from Native and Western Sources: Botanical Investigations into the Materia Medica of the Ancient Chinese，刊在 *JNCBRAS*（1890-1895）裡。其他還有《歐人在華植物發現史》（*History of European Botanical Discoveries in China*,（2 vols., London, 1898）。貝勒可說是研究本草最早的人。

地圖學

貝勒對地圖學也有很大的興趣。當時的俄國人不斷出入西伯利亞，甚至為了經營中亞，致力於地理學的調查，並於1845年設立俄國地理學協會，希望能更準確的製作地圖。貝勒也在此風潮中進行中國地圖研究，出版成果《中國及週邊地區的地圖》（*Map of China and the Surrounding Regions*, St.Peterburg, 1896）、《中國地圖補遺》（*Map of China. Supplement, 6 sheets*, St.Peterburg, 1896）。他對地圖的興趣，也是研究西域的一個動機。

西域學

十九世紀後半，合併中亞各汗國以後的俄國，更企圖通往印度南進，而策劃防守的的英國人在阿富汗陷入苦戰。在此情勢下，英國和俄國人對中亞、西藏、新疆、蒙古的民族、語言、宗教、歷史都懷抱好奇心，除了進行探險、調查，旅行也成為一種流行，各種遊記也陸續出版。歐洲在十九世紀前半就已開始進行的亞洲各國研究也逐漸加溫。原稿的校訂、譯註以及成為東方學者的第一要務。阿拉伯語、波斯語、土耳其語、拉丁語、梵語及漢語的文本多被翻譯，對東亞掌握越來越多的知識以後，西歐和東邊中國的各方關係也就成為研究的焦點。此時，和「印度之路」並行的，還有「契丹之路」。契丹是中國的俄語之稱，英文為 Cathay。集「契丹之路」研究大成的，則是玉爾

（Henry Yule, 1820-1889）。他於1886年出版《契丹之路》（*Cathay and the way Thither*），並於五年後1871年再出版《馬可波羅之書》（*The book of Ser Marco Polo*）。這兩本作品都對貝勒的研究有關鍵的影響。貝勒和玉爾的觀點相反，他調查了不少中國人對西方各國的見解。玉爾當時也無法使用中國的原典，貝勒則依據中國方面的史料，調查西域的地理和歷史，比較同時代的回教文獻，試圖釐清中國人對西域的知識。

中世紀西域研究

貝勒透過發表〈古代中國人的阿拉伯知識〉（On the Knowledge Possessed by Ancient Chinese of the Arabs and Arabian Colonies, and other Western Countries mentioned in Chinese Book, 1871）、〈前往西域的中世紀中國旅行者筆記〉（Notes on Chinese Mediaeval Travellers to the West, 1875）等論考在 *JNCBRAS*，釐清了13-17世紀中國人對西域的見解，又於1888年出版《中世紀西域研究》（*Mediaeval Researches from Eastern Asiatic Sources: Fragments towards the Knowledge of Geography and History of Central and Western Asia from thirteenth to the seventeenth century, 2 vols*, London），翻譯元明時期的遊記及西域的歷史、地理筆記，附有詳細註解。這本書的出版使元明時期中國人對西域的知識得以公諸於世，蒙古史、中亞史、東西交流史等史觀也合而為一。而他的英文也是顯而易懂的名作。

玉爾透過翻譯並註解西歐基督教傳教士的拉丁語遊記，尋求從西方出發的「契丹之路」，而貝勒則是經由翻譯並註解中國人的遊記及正史的西域傳，探索通往西方的「契丹之路」。原題《依據東亞史料的中世紀西域研究》還附上副題《13至17世紀中亞、西亞的地理、歷史的片段》。所謂片段 fragments，可看出他不是蒐集資料，而是打算包含元明時期西域的各國關係，十分的自負。

《中世紀西域研究》有兩卷，正文超過680頁。接著讓我們一起來看看這部由四部構成的大史料集的內容。

元代西域研究

第一部〈中國中世紀的西方旅行者筆記〉由耶律楚材的《西遊錄》、烏古孫中端的《北使記》、長春真人的《西遊記》及《元史》耶律希亮傳的譯註組成。這些遊記今日已經廣為人知，並有品質較好的版本，然而當時卻是劃時代的作品。歐洲的東洋學者認為此書是中亞蒙古時代獨創的研究，給予相當高的評價，而王國維《蒙古史料校注》還要再四十年後才出版。附錄收錄亞美尼亞王海頓的蒙古紀行（1254-1255）、陶宗儀的《輟耕錄》卷二回回石頭的譯註。關於蒙古時代的寶石，還有伊利汗國的納希爾・烏頓・多希所著的《珍貴之書》Tansūg-nāma，兩者的比較成為今後的議題。

第二部〈中世紀中亞、西亞的歷史、地理考〉包含《元史》內容的詳細解說、大主教帕迪斯的《元朝秘史》的俄語翻譯、還有波斯語的三大史書、朱瓦尼的《世界征服史》、拉希頓・烏頓的《集史》、瓦薩甫《歷史》的概要、昆西 Quatremère、漢摩・波格斯多 J. Hammer Purgstall、多桑 d'Ohsson 的蒙古史研究、以及阿拉伯語的地理書、若望・柏郎嘉宾、盧布魯克的歐人傳教士遊記。此外，利用貝雷齊 Berezin《集史》的俄語翻譯，他也稍微提了蒙古的正史《黃金之書》（Altan Depter）。文獻學者貝勒尋找證據的徹底以及其慧眼不得不令人震驚。準備周全以後，他進行了契丹與西遼、維吾爾、回回、蒙古西征等四個考察。這些考察不僅是前人研究的整理，也是之後研究的出發點。蒙古西征考詳述拔都入侵俄國及東歐一事，至今仍有其價值。

第三部〈中世紀中亞、西亞的中國語地圖解說〉，主要在認定《元史》卷六十三地理志付西北地附錄中所列出的地名。首先詳述欽察汗國、察爾汗國、伊利汗國等蒙古三大汗國的歷史、血統圖後，開始西北地附錄的地名考察。西北地是篤來帖木兒、月祖伯、不賽因領地內的地名表。貝勒曾傾渾身全力解釋、認定這些地名，這也是確認蒙古帝國西方三汗國領地的工作。此第三部可說是《中世紀西域研究》的壓軸，也是他做文獻學的典型方法。當然，現今已有其他許多伊斯蘭的文獻紀錄，但貝勒的嚴密考察依然有其價值。

明代西域研究

第四部題為〈十五、十六世紀中國與中亞、西亞的交流〉。1368年朱元璋明朝成立後，元朝佔領中國的歷史結束，新時代到來。然而蒙古利亞的北元仍然保有勢力，中亞則有英雄帖木兒繼承成吉思汗的大業，有幾起軍事行動。帖木兒的撒瑪爾罕宮廷中，有西班牙的使節克拉維約 Clavijo、巴伐利亞人希爾貝格 J. Shildbergerg 侍奉，明使節陳誠也曾往返於赫拉特及撒瑪爾罕。帖木兒之子沙哈魯也開始派遣明使節。東邊的明國和西邊的帖木兒帝國的交流，到了十六世紀葡萄牙人進出亞洲以後展開了新的局面。

貝勒曾經嘗試確認《明史》、《大明一統志》裡的西域地名。回教方的知識已經比起蒙古時代多且多元，貝勒也很認真的參考回教的參考文獻。此外他還參考帖木兒傳記則有亞茲迪人的《勝利之書》、海達爾．杜格拉特的《拉失德史》、莫臥兒帝國創建者巴布爾的自傳《巴布爾傳》等基本文獻的英譯、法譯。連《蒙古源流》*Erdeni-yin Tobci*、《蒙古黃金史》*Altan Tobci* 他都有接觸，十分的周詳。

第三部由明代的韃靼及瓦剌、明代的西域和明代的歐人組成。明代的西域部分，對《明史》西域傳所載的地名有深刻的考察，成為日本明代西域研究的濫觴。別失八里條目下的註，至今仍對東察合台汗國史極為珍貴。而註的總數達到1188條，也展現了貝勒文獻學者、考證學者的功力。

總結

貝勒的主要著作《中世紀西域研究》給予日本早期的東洋學者很大的影響。京都大學文學部圖書室藏故桑原隲藏教授遺書《中世紀西域研究》裡，原文的羅馬字轉寫有紅色細字寫的原漢字，如此細心的讀法可看出此書的當時如何被使用以及其價值。每本書都有自己的命運。

亨利・柯蒂埃
（Henri Cordier, 1849-1925）

礪波　護

自1894年（明治27年）日本成立東洋史的學科、學術領域以來，今年（1994年）已剛好百年，從成立當初一直給予我國東洋學界極大幫助的代表人物，莫過於法國的柯蒂埃（Henri Cordier,1849-1925）了。精通西洋的遠東文獻的柯蒂埃所編的《中國目錄》、《日本目錄》、《印度支那目錄》三部作品至今仍多被流傳廣為所需，而他於1890年萊頓的布立爾書店發行創刊並主編35年的《通報》（Toung Pao）至今仍為全歐洲遠東研究的雜誌並享負盛名。

生於美國，三歲歸國

柯蒂埃本來是法國東南薩瓦地區的家族，亨利・柯蒂埃的祖父傑榮移居諾曼地地區卡爾瓦多的主要都市利雪（Lisieux），經營手錶業。父親恩斯特・尤金（Ernest Eugène, 1812-1880）也出生於利雪，很早就赴美從事銀行經理人，1848年於阿拉巴馬州的港灣都市莫比爾，和法裔女性結婚。隔年1849年8月8日，密西西比河河口附近的貿易港新紐奧良（維吉尼亞州），生下長男亨利。幼年期三年的美國體驗，給予往後的柯蒂埃無可限量的影響。

1852年柯蒂埃隨同母親一起回到港口勒阿弗爾，住在老家利雪，

1855年父親歸國在巴黎安頓了以後，全家就跟去巴黎。之後的1859年，父親因貼現銀行設立新分店，帶母親和小弟赴任上海，待在中國長達五年，柯蒂埃和二弟則被寄養在虔誠的親戚家上學。

英國兩年，上海七年

雙親從中國歸國的隔年1865年，16歲的柯蒂埃隨父親首次前往英國旅行，之後1867年的兩年間，還為了熟練英文而在英國生活。歸國後，曾想報考巴黎的古文獻學學校（l'Ecole des Chartes），但父親為了把他培育成企業家，推薦他前往許多朋友所在的上海。於是柯蒂埃順著父親的期望，於1869年2月從馬賽出發，4月7日到達上海，任職於旗昌洋行（Russell and Co.），至1876年3月休假回法國的七年間，都待在上海。

在英國期間已沈浸在目錄學並深感其魅力的柯蒂埃，雖然說放棄入學古文獻學學校，但在上海定居的期間，也不斷蒐集書籍和前往圖書館。他首篇被刊印的文章，是寄給1870年11月英文報紙《通聞西報》編輯的信，上面署名「藏書癖」。隔年1871年他成為上海英國王立亞洲協會北中國分部的名譽圖書館員，從事藏書目錄的編輯，並傑出的完成工作。製作藏書目錄的過程中，他有機會與在上海附近生活的歐美知識份子成為好友，包括曾來過日本，為佩里提督的翻譯的美國外交官衛三畏（Samuel Wells Williams, 1812-1894）、法國生物學家譚衛道（J. P. Armand David, 1826-1900）、研究耶穌會的傳道史而聞名的法國人費賴之（Aloys Pfister, 1833-1891）、研究中國植物學與東西交流史聞名的俄國醫師貝勒（E. V. Bretschneider, 1833-1901）等，還有十九世紀長期待在中國的學者中被視為最優秀的二人，也就是英國的傳教士偉烈亞力（Alexander Wylie, 1815-1874）和俄國傳教士巴第修士（Palladius. 1817-1878），並深受其指導。

得到日意格與舍費爾的幫助

在旗昌洋行工作七年的期間，柯蒂埃也利用空閒時間鑽研目錄學，回法國放長假後，即將再度乘船從馬賽前往遠東，時值1877年3月9日。然而，船開到蘇伊士時，卻收到日意格（Prosper Marie Giquel, 1835-1886）的電報。當時打算引進造船技術的洋務運動先驅左宗棠委託日意格擔任總督並建設福州船政局，日意格成為該局附屬學校選出第一屆帶領留學生赴英法留學的中國教育使節團團長，於是想邀請柯蒂埃擔任協助的秘書。柯蒂埃獲得這萬中選一的機會，馬上答應，並立即返航於3月26日登陸馬賽。日意格的這封電報給了他人生的轉淚點。從此之後，柯蒂埃開始了近五十年一人分飾多角的璀璨學術生涯，而並未再踏上遠東的土地。

再度回到巴黎的柯帝埃，一個半月後發表對路易・貝格（Louis de Backer）《中世紀的遠東》*L'Extréme-Oriental au Moyen-Age* 的書評。他對人生中第一本學術論考的嚴苛批評，也展顯了他對歷史地理學深刻知識的不凡。這也成為他和以近東地區研究聞名的東洋學者且時任巴黎現代東洋語學校（l'Ecole des Langues Orientales Vivants）的校長查爾斯・舍費爾（Charles Henri Auguste Schefer, 1820-1898）開始深交的契機。

舍費爾說得一口流利的阿拉伯語、土耳其語、波斯語，並在近東各地從事翻譯且有許多居住的經驗，同時也是為病入膏肓的蒐集家和藏書家。舍費爾對柯蒂埃的未來有很大的期待，於是請他當波帝埃（Guillaume Pauthier）去世後留下的東洋語學校「遠東的歷史、地理、法制」部門的講師空缺。時值1881年8月。1888年3月柯蒂埃升正教授，之後到他去世，都一直擔任東洋與學校的教授。舍費爾雖然無法解讀中文，但是位留著長鬍子的博學老先生，相當有名，除了激勵伯希和（Paul Pelliot, 1878-1945）和戴密微（Paul Demiéville, 1894-

1979）等學生，也曾和高等師範學校主修中國哲學的學生沙畹（Emmanuel-Edourd Chavannes, 1865-1918）討論，使他改念歷史學，展現其伯樂之材的一面。

編輯《中國目錄》等

柯蒂埃待在上海期間曾在當地的英文報紙發表短篇社論，並在評論書評誌 Revue critique 評論《中世紀的遠東》以後，在如 *Journal des Débats* 等各大雜誌中陸續發表書評和學界動向、追思文。1879年為止，已有對雷雅各《孔子的學說》（J. Legge, *Doctrine de Confucius*）、穆麟德《漢籍目錄便覽》（P. G. von *Möllendorff, Manual of Chinese Bibliography*）、史丹特《中國的宦官》（G. C. Stent, *Chinesiche Eunuchen*）等介紹批評之外，還為回國途中病死於馬賽的巴第修士執筆追悼文、介紹日意格率領的中國教育使節團等。

柯蒂埃在目錄學方面耗其精力完成的，也不單只是《中國目錄》而已。在刊行增補第二版的本篇四卷，事情告一段落以後，更於1912年出版《日本目錄》（*Bibliotheca Japonica*）一卷，該年至1915年出版《印度支那目錄》（*Bibliotheca Indosinica*）全四卷，蒐集各歐語出版的書籍，完成目錄學的三部作。目錄的排列也跟一般的圖書分類法完全不同，例如《中國目錄》從第一版開始，就分成「中國本部」、「在中國的外國人」、「外國人與中國的關係」、「在外國的中國人」、「中國的外藩」等五大部分，再各自細分，這也是柯蒂埃獨創的作法，習慣以後相當便利，一般的目錄沒有索引往往很難找。《日本目錄》一開始就附有索引，《印度支那目錄》也有別人的目錄，《中國目錄》本來也打算出索引，未果，1953年才靠著哥倫比亞大學東亞圖書館印刷著者的索引，使用價值加倍。

柯蒂埃的對書籍的知識可說是有如天才，是蒐集書籍和目錄編纂的完美體現，其對象不僅遠遠超過東洋學的範圍，也擴及純文學的作家。其代表作有關於斯湯達爾的單行本。如1890年發行的《斯湯達爾與其友人》及1914年發行的《斯湯達爾研究目錄》，兩作品都在日本和中國出版且蒐集論著，可見東洋學者柯蒂埃的活躍的一面。柯蒂埃36歲的1886年5月25日，跟青梅竹馬的瑪格麗特．波多麗（Marguerite Elisabeth Baudry）結婚，是一位圖書館員的女兒。

《通報》的創刊與外交史、東西交流史

開始在東洋語言學校上課的柯蒂埃感到有必要刊行一專門的學術刊物，於是於巴黎出版《極東雜誌》（*Revue de l'Extreme-Oriental*）的第一卷第一號。內容以中國為中心，包含日本、印度，但因為無法取得漢字的印刷，1887年第三卷出版後就停刊。總說失敗為成功之母，1890年柯蒂埃與荷蘭的東洋學者施古德（Gustav Schlegel, 1840-1903），一起成功於萊頓的布立爾書店創刊《通報》，施古德死後與沙畹、沙畹之後又與伯希和共同擔任主要工作長達三十五年，而《通報》的實際工作和名聲則不需要在此贅述。

柯蒂埃之後還為施古德、沙畹等無數的師友寫追悼的記事，製作著作目錄，第一作則是法國的海軍大尉安鄴（Francis Garnier, 1839-1873）的追悼文。安鄴受法國南圻總督杜白雷指派而戰死於北部灣事件，出發前兩人在上海有親密的交情，柯蒂埃因此受到很大的打擊，並以紀錄北部灣事件寫的文章（〈最近的北部灣事件灣故事〉，*A Narrative of the recent events in Tong-King*, 1875），成為他首篇外交史的作品。1886年11月之後的幾年間，兼任巴黎政治學專門學校的（l'Ecole libre des Sciences politiques）的教授，並利用法國外交部的文獻發表與中國國際關係相關的諸多業績。其代表作為《1860年至1902年中國與西洋列強的外交史》（*Histoire des relations de la Chine avec des puissancesoccitantales*, 1860-1902）。

柯蒂埃以大大寫著自己漢名（柯蒂埃、高亨利、高迪愛等）首字「高」的書籤下部刻著「我逍遙故我在」（JE FLANE DONC JE SUIS），表明自己不只是書房學派，同時也是大旅行家，地理學者。他沒有沒去過的歐洲國家，倫敦的風景和巴黎一樣早就非常熟悉。與著名的歷史地理學家英國的玉爾爵士（Sir Henry Yule, 1820-1889）也有深交，在其死後還致力於《馬可波羅的著書》（*The book of Ser Marco Polo*）、《東域紀程錄叢》（*Cathay and the Way Thither*）的改訂增補，於東西交流史的領域也有很大的助益。英國的學界也對他致敬，1893年被選為皇家亞洲協會的名譽會員，1908年皇家地理學協會的通信會員以及1921年英國國家學術院的通信會員等。

著作目錄及柯蒂埃文庫

美國出生的柯蒂埃於1893年成為美國研究家協會的事務局長，1904年到美國，1910年又到阿根廷旅行等，對美國有著不遜於亞洲的終生愛好和喜愛，1913年更出版《美國論集》（*Mélangues Américains*）。

柯蒂埃歷任英國國家學術院會員、目錄學會長、民俗學會長、地理學會長等要職，還完成《東方史學地理學論集》（*Mélangues d'Histoire et de Géographic orientales*, 1914-1923）全四卷，並於1924年出版151頁的《紀念亨利·柯蒂埃75歲著作目錄》。隔年3月16日心臟病發去世，葬於巴黎北郊的塞納-歐瓦省，而非父母所葬的利雪。《通報》第24卷的卷頭也有伯希詳細刊載的追悼記事。

柯蒂埃去世時仍有舊藏書的拍賣，剛好在歐洲的細川護立侯（1883-1970）一舉全部買下，日後命名為「柯蒂埃文庫」。此文庫委託慶應大學的斯道文庫編輯《柯蒂埃文庫分類目錄》，可窺見自認書籍蒐集狂的柯蒂埃的藏書全貌。

主要著書・評傳

中國目錄　初版1878-1895

　　　　　第二版　1904-1924

1860至1920 中國與西洋列強的關係史　1902

日本目錄　1912

印度支那目錄　1912-1915

東方史學地理學論集　1914-1923

紀念亨利・柯蒂埃75歲著作目錄　1924

柯蒂埃文庫分類目錄　1979

阿爾伯特・馮・勒柯克
（Albert August von Le Coq, 1860-1930）

中野照男

放棄家業

阿爾伯特・馮・勒柯克（Albert August von Le Coq, 1860-1930）誕生於1860年9月8日柏林的富裕的酒商中。祖父是柏林胡格諾家的遠親。21歲時為了準備家業前往倫敦，之後去美國學醫。27歲時返回德國，進入達姆城的酒商 A. 勒柯克的農場工作，據說是他祖父發現的農場。然而，13年後，他放棄家業，移居柏林，在東洋語學校學習阿拉伯、土耳其、波斯語等東洋的語言，又跟梵文學者皮舍爾（H. Pischel）學梵文。1902年42歲，開始在柏林民俗博物館任職，但仍是無薪的工作。

上司格倫威德爾的活躍

1902年於漢堡舉行的第十三屆國際東洋學會，成立「中亞及遠東的歷史、考古、語言、民俗學研究國際學會」。接著，1902年11月組成第一屆吐魯番探險隊，隊長是柏林民俗博物館印度部門部長兼印度學家格林威德爾（Albert Grünwedel, 1856-1935），還有美術史學家喬治・胡特（George Huth）、工程師巴爾圖斯（Theodor Bartus, ?-

1941）同行，而四次探險都有參加的只有巴爾圖斯。11月17日抵達吐魯番窪地，到高昌、勝金口、木頭溝等地進行包括遺跡的調查，實測圖的製作等，以科學調查為目標的調查。1903年4月調查結束，探險隊於歸途的4月11日，在庫車遇到大谷探險隊的渡邊哲信、堀賢雄，於7月回到柏林。之後的調查都以第一次的調查地為名，稱作吐魯番探險隊。

機會到來

格倫威德爾發現大量的文書、壁畫、雕刻等引起很大的迴響。柏林大學歷史學家邁爾（Eduard Meyer, 1855-1930）和之後成為柏林民俗博物館館長的東方學者 F. W. K. 繆勒（Friedrich Wilhelm Karl Müller, 1863-1930）強烈建議探險隊繼續舉行，於是有了第二次的探險計畫。此時，勒柯克的好運即將到來。回國後，格林威德爾生病，胡特不知是探險太累還是過於困苦，也驟然去世，勒柯克也就只能擔任第二次探險隊的隊長，同行者仍有巴爾圖斯。1904年11月18日，抵達高昌的古都哈拉和卓後，立即進行摩尼教寺院、佛教寺院等挖掘調查，蒐集壁畫、貨幣、絲綢、麻、苧麻等紡織品和大量的斷簡文書。文書主要是佛教、基督教聶斯脫里派、摩尼教、祆教的東西。1905年2月底，他們又調查了吐魯番北方的勝金口，得到許多的文書。格林威德爾之前曾要求勒柯克別染指木頭溝的石窟，然而勒柯克還是調查了木頭溝柏孜克里克千佛洞，發現了許多彩色壁畫，從兩三個寺院中完整切下壁畫。其他還調查了七康湖、吐峪溝、大阿薩古城及小阿薩古城等。對東亞的語言有興趣的勒柯克出發前先接受過 M. 哈圖曼的指導，大概略懂東突厥斯坦的語言，在哈拉和卓常跟當地識字的人學中文和土耳其語，很習慣當地的發音。1905年6月，他將出土品和壁畫裝箱，送到德國，8月往哈密移動，調查廟兒溝的佛教寺院。在廟兒溝期間，有來自塔什干的商人，聽他說1900年千佛洞發現了大量的收藏古文書的書庫。勒柯克雖然有很大的興趣，但為了要迎接即將到達喀什的第三次探險隊的格林威德爾等，只好放棄前往敦煌。10月到達喀什以後，寄宿於英國的駐外官 G.馬嘉爾尼（George Macartney），等待格倫威德爾的到來。

人命救援

12月5日，勒柯克跟格倫威德爾以及同行的中文翻譯波爾特（H. Pohrt）見到了面，勒柯克、巴爾圖斯就直接加入了第三次探險隊。然而因隊長格林威德爾生病，隊伍不得已只好喀什停留三週。12月日，往庫車出發，1906年1月8日到達距巴楚很近的圖木舒克，對驛站東北的佛教遺跡進行挖掘。1月23日抵達庫車，1月27日開始調查庫木土拉石窟。又於2月26日開始進行克孜爾石窟的調查。這邊在德國調查隊之前，1903年4月15日至23日，大谷探險隊的渡邊哲信、堀賢雄才來調查過。勒柯克還是在這邊把壁畫切割，相反的格倫威德爾則是沒有那麼熱衷於切割壁畫。5月15日開始調查克日西，6月4日進行舒爾楚克的挖掘。這時，得知斯坦因將從洛浦前往沙州的敦煌和吐魯番，勒柯克於是勸格倫威德爾前往吐魯番。然而勒柯克一直以來苦於痢疾的症狀，最後只能於6月28日一個人回國，把古文書、寫本、臨摹本、遺物等也一起帶著前往喀什。到了喀什才知道政情不穩，不能由俄國回國。勒柯克只好跨越崑崙山脈，打算從印度回國，並請求英國的大尉 J. D.喜瑞（J.D. Sherer）同行。9月為了熟悉騎馬，他旅行到于窴，在莎車組成商隊，前往列城。很諷刺的是，途中勒柯克的身體回復，反而是喜瑞開始高山病發，無法前進。勒柯克於是自己先前往拉達克，寫信給列城摩拉維亞傳教會的醫師與斯利那加的榮赫鵬（Sir Francis Younghusband, 1863-1942），準備好救援的手續，再返回喜瑞的所在地。之後勒柯克再帶著喜瑞，好不容易到達列城，讓喜瑞住進摩拉維亞傳教會的附屬醫院。而勒柯克和榮赫鵬盛談過後，經由拉瓦爾品第、孟買，坐上義大利船到達熱納亞，1907年1月7日回到柏林。回國後，救了喜瑞一命一事，還得到聖約翰耶路撒冷醫院修道院的獎章。6月初，格倫威德爾一行人歸國。

最後的旅行

在整理第二第三次探險隊的蒐集品時，花費了太多時間，第四次的探險隊要到1913年才組織出發。隊長是勒柯克，同行者仍有巴爾圖斯，目的地是前往第三次探險隊調查的庫車周邊的克孜爾石窟、庫木吐拉石窟，進行更徹底的調查和保護壁畫。與今天的保護壁畫不同，勒柯克當時的保護是要切割壁畫。1913年是中華民國二年，政權交替之際，邊境地帶也一時處於不穩定的狀態。勒柯克也遭遇前所未有的困難。3月31日他從柏林出發，經過喀什市，6月8日到達近巴楚的圖木舒克，試圖挖掘寺院遺址。6月21日到達拜城，再次來到克孜爾石窟壁畫。巴爾圖斯立刻開始工作，勒柯克也在訪問庫車、庫木吐拉後，7月2日開始克孜爾石窟的工作，此時勒柯克卻又開始有痢疾的症狀，之後身體一直不好。但他卻將巴爾圖斯留在克孜爾，前往蘇巴什、克日西，全力調查阿及里克、森木賽姆、庫木吐拉等。九月中開始打包，行李放在駱駝上，前往庫車，途中跟巴爾圖斯一起前往庫木吐拉、蘇巴什。回到庫車以後，兩人又前往克日西，取下森木賽姆和阿及里克的畫。10月12日，從庫木吐拉開始工作，蒐集唐代初期樣式的繪畫。回喀什的途中，正式開始挖掘巴楚的圖木舒克，取得不少收穫。三月上旬出發前往喀什，三月底回到柏林。利用西伯利亞鐵路運送的蒐集品，在第一次世紀大戰爆發前通過俄國國境，順利到達柏林。

戰敗後的通膨

第四次探險結束後，勒柯克的兒子喪生於法國戰線，與英國的朋友也逐漸疏遠，失意之中，他將自己的熱情全部傾注於整理蒐集品和發表報告書。第一次世界大戰後陷入通膨，出版的工作據說只能靠勒柯克把蒐集品中零碎的東西販賣，以換得出版資金。從德國流出的克孜爾壁畫殘骸，於美國、歐洲、日本等約有七十個，但根據上野アキ的考證，整體的流出數量並沒有這麼多。勒柯克於1925年成為柏林博物館的館長，1926年得以設置吐魯番常設展。斯文・赫定（Sven Anders von Heidin, 1865-1952）、馬爾克・奧萊爾・斯坦因（Sir Mark Aurel Stein, 1862-1943）等，迎接許多參訪者，這也使得他得以抒發平常報社不了解他的工作的鬱悶。1930年4月21日，他身任館長時離世。《中亞後期古代樣式佛教美術》第七卷，在他死後由恩斯特・瓦爾德施米特（Ernst Waldschmidt）編輯，1933年以追悼之名獻給他。七卷中，最後的兩卷的編輯得到許多人的協助，但仍照著勒柯克的意思發行，可說是滿足的辭世。相較之下格倫威德爾，晚年反而被不被學界重視，在失意之中辭世。兩人雖然在許多方面形成對比，但可確定的是兩人都體認到對方是良性的對手，尤其對勒柯克來說，反抗格倫威德爾才是激起他學術熱情的泉源之一。

主要著書、評傳

第一次探險調查的紀錄，有以下的報告書。

Grünwedel, A., *Bericht über archäologische Arbeiten in Idikutschari und Umgebung im Winter* 1902/1903（從1902年開始三年的冬天，高昌及其周邊進行的考古學調查）, München, 1906.

第二、第三次探險調查紀錄、旅行遊記如下。

Le Coq, A. von, *Chotscho: Facsimile-Wiedergaben der wichtigeren Funde der erstenköniglichpreussichen Expedition nach Turfan in Ost-turkistan*（高昌、東突厥斯坦・吐魯番的第一回普魯士探險隊重要發現品的複製版）, Berlin, 1913; reprint Graz, 1979。

Grünwedel, A., *Altbunddhisische Kultsätten in Chinesisch-Turkistan*（中國突厥斯坦的古代佛教祠堂）, Berlin, 1912。

Grünwedel, A., von, Auf Hellas Spuren in Ostturkistan: Berichte und Abenteuer der II. und III. deutschen Turfan Expeditionen （於東土厥斯坦的古代希臘痕跡 第二，第三次德國・吐魯番探險隊的報告與冒險）, Leipzig, 1926; reprint Graz, 1974. Trans. By Anna Barwell. *Buried Treasures of Chinese Turkestan: An Account of the Activities and Adventures of the Second and Third German Turfan Expeditions*（中國突厥斯坦斯坦埋藏的寶藏 第二、第三次德國・吐魯番譚險隊的活動與冒險），London, 1928。木下龍也翻譯《中亞發掘記》昭森社，1960年2月。木下隆也譯《中亞寶藏發掘紀》角川文庫，1962年10月。

第四次的探險遊記如下。

Le coq. A. *Von Land und Leuten in Ostturkistan: Berichte und Abenteuer der 4。deutschen Turfan expedition*（東突厥斯坦的土地與社會 第四次德國・吐魯番探險隊的報告與冒險）, Leipzig, 1928。羽鳥重雄譯《東突厥斯坦的景物誌》中國邊境歷史之旅　四，白水社，1986年10月。

Le coq, A. von Waldschmidt, E., *Die buddhistische Spätantike in Mittelasien*（中亞的佛教後期）, 7Bds. Berlin, 1922-1933; reprint Graz 1973-1975。

馬爾克·奧萊爾·斯坦因
（Marc Aurel Stein, 1862-1943）

梅村　坦

斯坦因於1862年11月26日，生於布達佩斯，1943年3月26日死於阿富汗的喀布爾。斯坦因貢獻於東洋學的地方，主要是喀什米爾地區、東西突厥、甘肅、伊朗、敘利亞等廣泛的領域。終其一生，並沒有擔任任何大學研究職，而只貢獻於於調查考古學、地理學、古文書等，收集不為人所知的古文明遺跡及書寫報告書，一生單身，也沒有定居在任何地方。斯坦因的亞洲內陸探險及當地出土的資料，為學界訂定了新的研究潮流。不僅僅是他發現的文書等遺跡，他所做的精緻的地圖和正式報告書，直到今日都是當地研究必須參照的東西，仍有相當高的研究價值。

他發掘及取得遺跡、遺物時，都會記錄現場，並將基本的資訊留給後世，斯坦因在成果發表的過程中，也時常得到有力的協助，得以將研究成果交給一流的文獻學者。這也是因為斯坦因自己深知自己的極限，以及他溫和的個性才得來的。

生平及印度的職位

斯坦因父母皆為猶太人，卻有著基督教的名字。他生長於匈牙利語、德語的環境，並在德勒斯登的中學學習希臘、拉丁、英法語。據說他很早就對亞歷山大大帝有興趣。匈牙利這塊土地曾孕育了一位為了追尋自己民族的祖先而前往西藏，被稱為西藏學的開創者的喬瑪（KőrösiCsoma Sándor, 1784-1842）。另外，還有匈牙利的猶太人萬貝里（Vámbéry Ármin, 1832-1913），曾前往伊朗的布哈拉旅行，是斯坦因叔父的朋友。斯坦因之後進入維也納萊比錫的大學就讀，之後又再杜賓根學伊朗和印度學時，與曾經和匈牙利的塞切尼・貝拉（Széchenyi Béla, 1837-1918）一起前往中國甘肅進行調查（1877-1880）的地質學者羅茲（Lóczi L.Lajos, 1849-1920）有所接觸，得知關於敦煌壁畫及雕塑的事情。更在1883年至1886年間—包括途中曾因兵役在布達佩斯學習測量術及地圖學—在英國的牛津大學和大英博物館考古學、東洋各語言的時候，加深印度古寫手稿的知識。他還和以解讀貝西斯敦的楔型文字碑文聞名的羅林森（H.C. Rawlinson, 1810-1895）以及著有《東域紀程錄叢》、《馬可波羅之著作》，並在歐洲東洋學有極大影響的歷史地理學者玉爾（H.Yule, 1820-1889）相識。馬可波羅與亞歷山大大帝和玄奘，都曾經為之後的斯坦因指引過重要的方向。

這些經歷終於把斯坦因引誘出了歐洲。

斯坦因於1887年得到羅林森和玉爾的協助前往印度。他同時身兼旁遮普州拉合爾的東方學校校長和大學文官的職位。斯坦因到了印度後，利用閒暇時間調查旅行，還去喀什米爾斯利那加山上的默罕德・馬格設置一個夏季帳篷，在此「書齋」中積極進行資料整理，書寫調查報告書等。當初他致力於梵文古手本的蒐集及研究，還在印度學者的協力下，發表首本學術書籍《喀什米爾王皇族史》的校勘譯註（1892-1900）。他也很早就參與印度西北部的考古調查。不得不放棄尋找歐洲大學職位的斯坦因，卻在印度接連得到終生的好友。其中必須提到拉合爾美術學校的副校長安德爾斯（F.H. Andrews）。他除了幫斯坦因整理中亞探險所獲的物品，還出版採集品目錄及圖，是他工作的一大支柱。

國際情勢與「新發現」

斯坦因所生的19世紀中旬，亞洲正受到歐洲列強的威脅。清朝在鴉片戰爭中失利，印度成為英屬，伊朗也成為英國戰略的一環，俄國也逐漸擴張勢力到中亞，並持續南下政策。清朝雖然極力聲稱新疆的主權，但總體來說東西突厥斯坦和阿富汗還是英俄角力的戰場。1864-1877年阿古柏（Muhammad Ya'qub Beg, ca. 1820-1877）政權於喀什成立，英俄與其結盟試圖進入領地，之後中俄間簽訂伊利條約（1881年），英國也在俄國之後於喀什設立領事館。

此情勢中，在新疆發現了以往在印度、當然還在歐洲也不為人知的古文書，而其開始受到學界注目的原因，則是因為一稱作包爾文書的東西。英領印度陸軍情報部將校的包爾大尉（H.Bower, 1858-1940）潛入新疆，而將偶然在庫車看到寫於樺樹皮的古文書買下，送到加爾各答。這是1889年當地的尋寶家發現的東西。首先透過魯道夫・霍諾爾（A.R.Hoernle, 1841-1918）研究以後，得知是當時所知最早的梵文文獻，也就是確認了佛教文明、印歐語的文物出現在新疆。

1890年法國隊在和田，得到寫在樺樹皮的犍陀羅文《法句經》。1895年。瑞典的赫定（S.A.Hedin, 1865-1952）於塔克拉瑪干沙漠周邊發現許多的文書和器具、遺跡，並持續探險。1899年在羅馬召開的第十二屆國際東洋學者會議中，俄國的中亞、土耳其學者拉德洛夫（V.V. Radlov, 1837-1918）甚至呼籲設立「中亞及遠東的歷史、考古、語言、民族探險之國際學會」。

中亞探險調查

斯坦因一邊在印度當公務員，一邊接到這些情報，便開始計畫中亞的探險調查。加爾各答的霍諾爾的地方在鮑爾古本之後，也陸續湧入了西北印度和新疆，尤其是和田的古文書，斯坦因因此深感有必要調查這些出土品的真偽和出土地本身，於是他於1898年9月向當局提出和田與其周邊地區的資料蒐集和遺跡調查申請書。霍諾爾也相當支持這個計畫。就在此時，英國政權轉向對俄積極政策的保守內閣，解除以公家名義前往印度以外的土地的禁令。

新的印度總督卡森相當了解考古學，1900年5月31日，斯坦因出發前往斯利那加，還有測量技師辛拉姆，和愛犬達許陪伴。達許接連七代都跟斯坦因同行。

第一次＝1900/5～1901/7

斯坦因越過帕米爾，經由塔什庫爾干進入新疆，發掘調查和田的約特干遺址、丹丹烏里克、尼雅、安迪爾等埋在塔克拉瑪干沙漠南邊的遺跡，漢字與婆羅米文字、犍陀羅文等的文書，與解讀和田語有關的文書類、木簡、貨幣、版畫、壁畫、塑像佛、木製品等，得到比想像中還多的物品。歐洲於1860年以後知道的遺跡，在此時開始正式的被調查。這些調查引起新疆的佛教足跡、印歐語的文字分布、漢藏文化的混合等待解的課題。而1895年開始，霍諾爾到手資料解讀以後，認為是無法解讀的文字的古文書，後來在和田都被在當地證實是偽造的東西，對霍諾爾來說應該是很諷刺的結果。斯坦因回到喀什以後，經由撒瑪爾罕回到歐洲，與諸多的收穫一起回到倫敦。

1902年，漢堡召開第十三屆國際東洋學者會議慶祝斯坦因的發現成果。他只不過是英領印度政府的猶太裔匈牙利公務員的名聲，首度在考古學界傳開。1903年，斯坦因回到印度，隔年進入印度考古學調查局，取得英國正式國籍。第一屆探險的個人筆記《沙埋和田廢墟記》也於1903年出版，正式報告書《古代和田》也於1907年出版。

第二次＝1906/4～1908/11

此次活動受人注目的，是發掘米蘭和樓蘭，及發現帶有希臘羅馬特色的文物、挖掘長城，和獲得敦煌古文書、繪畫。

1907年3月16日，斯坦因到達敦煌莫高窟千佛洞。聽說在這裡發現了古文書，斯坦因非常謹慎。發現的王道士小心的打開石窟（現十七窟），西歐人首次於5月23日看到，這也是敦煌學被開啟的瞬間。斯坦因曾說，讓王道士敞開心房的，是兩人共同面對玄奘的敬畏之心。他在購買上萬卷的抄本文書時，上面有對漢字及突厥語系不熟的斯坦因無法掌握的文字、語言，因此並無法精挑細選最有價值的文獻。然而這些發現還是讓歐洲學界震驚。從現在來看，是各文明交雜的中亞研究中，空前的史料發現。1910年，斯坦因被授與印度帝國的爵位。

個人報告書《沙漠契丹廢址記》（1911年）首先發行，1921年才是真正刊行報告書《賽林底亞》、關於敦煌的《千佛》。另外，第一次的成果，漢文的木簡、紙文書的研究，則由法國巨擘沙畹（E. Chavannes, 1865-1918）發表。

他收集到的文書整理、研究得到大英博物館的協助，也因此和伯希和（P.Pelliot, 1878-1945）也有所接觸。斯坦因之前雖然也委託霍諾爾、羅斯（E.D.Ross, 1871-1940）、謬勒（F.W.K.Müller, 1863-1930）等協助研究各種文書，但還沒取得太多成果，斯坦因就回到印度了。

第三次＝1913.8～1916.3

調查完犍陀羅的佛教遺址後，此次壯行擴及塔克拉瑪干周邊的遺跡及敦煌、甘州、黑水城、準噶爾東南部、波斯的俾路支斯坦、錫斯坦，獲得多數的文物。此時清朝已滅亡，中國正處政權交替的混亂期，因而可以自己帶走文物。敦煌附近的長城出土的木簡和吐魯番阿斯塔納古墳群出土文書等，皆委託法國的馬伯樂（H.Maspero, 1883-1945）研究。正式報告書為《亞洲腹地》（1928）。

第三次中亞探險旅行後，斯坦因前往美國，得到哈佛燕京研究所法格美術館的金錢援助。當時的演講整理在《古代中亞之路》（1933）。斯坦因於1930年經由日本到達上海、南京，雖和中華民國政府交涉新疆的調查，但不知是否是無法如赫定的西北科學考察團（1927-1933）一樣，和中國進行共同調查，民國政府就這樣關閉了溝通管道，取消他們從印度往新疆的護照，禁止挖掘活動。斯坦因於是不得不和剩下的文物和文書，於1931年一起回到印度。斯坦因在新疆的活動雖說築起一座新「發現」的山，但卻這樣畫下休止符。孤傲的斯坦因也有其極限。

西亞調查與晚年

印度考古學調查局於1921年開始挖掘死亡之丘的都市遺跡，斯坦因也被邀請前去與錫斯坦發現的文物作比較。斯坦因的領域逐漸往西擴張。

儘管年事已高，斯坦因仍意氣風發。1927年起的10年間，進行西北印度、伊朗南部的調查。1938～1939還動員飛機，調查敘利亞、約旦、伊拉克的古代羅馬長城，可說是令人驚嘆的精力和體力與計畫能力。其中伊朗的調查，岡崎敬（1916、1956）的傳記裡有詳述，而調查採集的文物、遺跡的報告書，都成為之後考古學和歷史研究的基礎。

斯坦因的調查旅行似乎沒有終點。1940年後到了北印度，依然還是在默罕德．馬格的帳篷書齋中寫報告書。1943年4月，40年來的夢想終於實現，斯坦因受邀前往阿富汗，10月19日到達喀布爾。調查的準備自然是萬全，斯坦因還詢問是否可在赫爾曼德河流域過冬。然而感冒後身體瞬間惡化，26日下午5點30分離開世間。死前兩天，他還曾提及自己的葬禮，在英國國教會的儀式，國內外高官、外交官觀禮下，五英尺四寸的小身軀被葬在喀布爾的郊外墓地。

斯坦因帶回大量的中亞文物中，現由倫敦的印度公司圖書館保管，大英博物館和新德里的印度國立博物館藏有美術、考古文物。這些跟其他國家的中亞探險隊的外來物一樣，仍是重要的研究對象。近來，中日開始正式共同挖掘新疆的尼雅遺跡，中亞仍有許多待更科學調查的遺跡，而身處國際混亂之際的斯坦因，可說是研究的先驅，英名永傳。

最後，19、20世紀歐美各國和日本採集世紀文物的方法，現在也激起不少學術討論，同時也引起國家主權的問題、民族、地區文化的保存等問題上的批評。

這些文物被調查以後，往往就毫無保留地被公開，並被要求以人類共同遺產為目標，採取必要的手段保存。然而之後的保管和研究所需要的學術的良心才是重點。容易搬運的文書，「發現」當時往往就被當成商品散逸各地，從這點來看，一舉收藏大部分的文物相對來說也是比較好的事情。

而從嚴苛的當地自然環境下拿到各國收藏的人類歷史文化遺產，今日也因保存地的經濟惡化等，瀕臨死亡的狀態。當地或現在的保存地，都應該尋求更好的文物保存，不斷的建構國際合作的關係才是。

主要著書、評傳

Sand-buried Ruins of Khotan. London, 1903。《沙埋和田廢墟記》

Ancient Khotan. 2 vols. Oxford, 1907。《古代和田》

Ruins of Desert Cathay. 2 vols London, 1912。《沙漠契丹廢址記》

The Thousand Buddhas. Ancient Buddhist Paintings from the Cave-Temples of Tun-Huang on the Western Frontier of China. London, 1921《千佛：敦煌的古代佛教繪畫》

Serindia. 5 vols. Oxford, 1921《賽林底亞》

Innermost Asia. 4 Vols. Oxford, 1928《亞洲腹地》

On Alexander's Track to the Indus. London, 1929《亞歷山大帝往印度河流域之路》

On Ancient Central-Asian Tracks. London, 1933《在中亞的古道上》

Archaeological Reconnaissances in North-Western India and South-Eastern Iran. London, 1937《西北印度及西南伊朗的考古學調查》

Old Routes of Western Iran. London, 1940《在西伊朗的古道上》

榎一雄〈斯坦因小傳〉（《東方學報》33-1）1950年。

榎一雄〈談米爾斯基著〈斯坦因傳〉〉（《東方學》55）1978年。

〈斯坦因著作目錄〉（《東洋文庫書報》9）1978年。

岡崎敬〈斯坦因：於東西交流史研究的功績〉（《史林》39-6）1956年。

J. Mirsky, *Sir Aurel Stein, Archaeological Explorer*. Chicago Univ. Press, 1977

J.米爾斯基著，杉山二郎等譯《考古學探險家斯坦因傳》上、下（六興出版）1984年。

西爾萬・萊維
（Sylvain Lévi, 1863-1935）

中谷英明

大印度學者的誕生

西爾萬・萊維與印度學的相識，有以下的故事。萊維還是索邦的學生時，有一次與朋友兩人一起排新年度的課表。他們即使一週排了32小時還是感覺不夠，於是透過父親的友人，諮詢法蘭西公學院的希伯來學教授歐內斯特・勒南。勒南推薦的課程，是高等研究院貝爾蓋鈕的梵學。1863年3月28日出生的萊維，就在19歲的時候，首次和梵文有了接觸。

對萊維來說，梵學和他簡直是天作之合，他也很快地在三年後，發表首篇論文〈卡什曼陀羅的偉大故事節錄〉。其譯文可知他完全掌握梵文，並呈現他往後忠於原文，極度柔軟的翻譯風格。而比勒發現卡什曼陀羅抄本才經過一段時間而已，這也可以看出萊維對新領域研究一貫的態度。

1886年萊維成為高等研究院講師，貝爾蓋鈕於1888年去世後，隔年就在文學部講授梵文。他對老師貝爾蓋鈕的敬意終生不變，始終敬稱「貝爾蓋鈕老師」。筆者於史特拉斯堡大學擔任梵文課程講師時，初級文法的書籍不是貝爾蓋鈕的手冊，而是筆者的前任教授修斯曼的指定的龔達的書，覺得有點可惜。巴黎應該還是用貝爾蓋鈕的書。

名著《印度戲劇》為博士論文，但如果說是在1890年萊維27歲時就出版了，大家應該都會感到震驚。第一部為印度戲劇的題材、主角、情緒理論（拉薩）、社會階級與言語等鉅細彌遺詳述，從伽羅陀娑、曷利沙等為首的戲曲作者改觀古典戲劇的發展史。第二部探索《梨俱吠陀》以來的戲劇起源，並毫無遺漏的介紹現代戲劇的實況，他也很自然的受到皮歇爾、希爾布萊德、巴爾特等，獲得當代學術大老的極高評價。從他才學了七年就能做出這樣的作品，便可看出萊維的天才及法國印度學的穩固傳統。

四年後，1894年，萊維才31歲就進入法蘭西公學院。是繼謝賽（1814～1832）、比爾努夫（1832～1852）、福科（1862～1893）後，第四位印度學的教授。學校準備的課程名稱是「梵語及梵文學」，法蘭西公學院都會給每位教授適合的課程名稱。萊維就這樣一直到72歲去世，41年間在此學校工作。這也是擔任印度學教授中最長的，現在還有70歲必須退休的規定，這個紀錄應該不太容易被打破。

輕盈的飛翔

從文學作品研究出發的萊維，開始「輕盈的飛翔」。萊維曾經比喻，印度的詩往往難以預測飄飄的飛舞，最終還是會到達目標，像是「蝴蝶螺旋軌跡」，這也可以說是他的學問軌跡。《印度戲劇》出版當年，他利用希臘文資料確定波你尼的年代和釋迦曆的創始者，三年後指出《俱舍論》的兩漢譯中引用《彌蘭王問經》的地方，隔年1894年跟剛從中國回國的沙畹一起出書，發表藏文關於居庸關刻文的註記。在希臘文、漢文、西藏文等資料的驅使下，他看似輕鬆的開始研究冷僻的梵文文本。

萊維一開始只打算將馬鳴的《佛所行讚》和《中阿含》一經文的梵文原本在學會介紹，但途中卻也和沙畹一起譯註起悟空的印度遊記，還把曷利沙王的八大靈塔讚美詩的藏文翻譯復原為梵文，藉由碑文探索卡提亞瓦半島六至八世紀的佛教衰退和婆羅門教的復興等，在各領域都有逐漸發表成果。

就這樣在1897年去印度以前，萊維的印度學已經成形。乍看之下漂泊不定，又看似一時興起的研究中，有幾個要點，包括「從與周邊（美索不達米亞、希臘、羅馬、伊朗、中國、西藏、日本、東南亞等）的交流來看印度史」、「佛教研究有助於理解印度史」、「重視南傳和北傳佛教研究，把巴利文和梵文的原文翻成中文，與藏語翻校對的文獻學方法」。清楚呈現之後，又如螺旋軌跡上升一下，對同一課題再度由較高的觀點重複的省視，這就是萊維學的特徵。

萊維去印度以後，在尼泊爾待了兩個月。這短時間的滯留，在八年後有了《印度王國尼泊爾的歷史研究》三卷的成果。勒努把這套書稱作「萊維來不及寫的《印度》綜合指引的替代書」。而他也在尼泊爾發現無著的《大乘莊嚴經論》的梵文原文，與漢譯、藏譯對照後發表。另外，他還認為三世紀北印度的著作《天譬喻》，屬於根本說一切有部。並於1898年發表《婆羅門的祭典思想》，是萊維唯一的婆羅門思想研究。

中亞抄本

從印度回國後，萊維多方展開研究，提出沙摩陀羅・笈多與斯里蘭卡麥加瓦魯納王時代相同，闡明曷利沙王晚年的事蹟，將婆羅門專有的梵文世俗化（使用於文學以外）的釋迦族的成就等，中亞發現的抄本大大引導了萊維的研究方向。此外，他還發現印迪克查利出土的抄本碎片可能就是《雜阿含》，並指出存在北傳阿含的梵文原本，材料雖然只是小碎片，但卻有很大的意義。

1907年，伯希和進行中亞的探險，把多數的寫本帶回巴黎，萊維也開始懷疑巴利三藏比起北傳本，更接近原傳本的想法，提出無論哪一派的經典都是在約西元前夕同時編輯，與赫登堡進行辯論。萊維還在1912年出版比較各版《法句經》的其中一章，論點清晰，堪稱為文獻學的典範。而同年，他還提出佛教的原文是摩揭陀書面語而非口語，是從梵文、巴利文衍生而來的說法。這些說法後來也普遍被認同，呂德斯也以此蒐集了不少資料。

對中亞抄本萊維最大的貢獻，則是「吐火羅文書」的研究。1911年發現吐火羅語和梵文對照的《法句經》，是經由和印度語比較研究學者梅耶的共同研究，發現兩者可直接上溯為印歐原始語。另外，他還從《律藏》殘骸的研究中，提出吐火羅佛教屬於說一切有部。另外伯希和還把在龜茲近郊發現的商旅通行證和寺院帳簿中所提到的王名，與中國史書進行確認，確認兩文書的時間為7世紀前半。此為中亞抄本史中少數得以判定時間的東西之一。

之後的萊維也都在研究吐火羅。1924年比較根本有部律中的《賢愚經》，論述中亞並非只有交通道路，吸收周邊的文明，並有形成獨自文化的一文明圈。接著1932和1933年，接續發表吐火羅語《分別善惡報應經》的註釋以及《法句經》殘骸的等的研究。

身為一位人道學者

吐火羅研究開始的同時，萊維的研究也往多方發展。證明巴利文的《佛本生故事》中提到的孔雀貿易，是從印度經由巴比倫，再賣到希臘、羅馬，從《孔雀明王經》中的地名一覽與《摩訶婆羅多》之間的相似，論述兩者之間的成立時間大致相同，而《正法念處經》中，可見模仿《羅摩衍那》的喀什米爾版瓦魯納納的記事，指出亞利安和達羅毗荼人前的印度存在孟高棉類的底層文化，推斷托勒密地理書的保羅拉是泰米爾語文的彈陀普羅，《大義釋》中的港都達可拉是托勒密中的答可拉，此聖書的成立在二世紀以後等事實。

1919年至1920年一年期間，萊維在史特拉斯堡大學執教，1921年至1923年待在印度和尼泊爾（四個月）、斯里蘭卡，並訪問日本。回國後，他任職高等研究院宗教部的部長。在尼泊爾的收穫，便是發現《二十頌》和《三十頌》的梵文本，1925年出版文本，1932年發表翻譯。

1926年9月，萊維受駐日大使保羅·克洛岱爾的邀請前往日本，並接受他的好意接受東京日法會館的館長職位。萊維也立刻和東大的高楠順次郎創刊法文的佛教字典《法寶義林》，首任編輯長由戴密微擔任。《法寶義林》創刊後四十年間，在京都北郊的林光院獲得一編輯處，今日仍主要以 Durt, Duquenne 兩位，持續編輯。萊維任職館長兩年間，也曾在東大講授印度佛教。1928年經由爪哇、巴黎、印度、尼泊爾回國後，接任塞納爾成為亞洲學會會長。

回國途中，萊維還記錄自己在爪哇的婆羅浮屠的遺跡雕刻上，看到《分別善惡報應經》的震驚。這是他六年前在尼泊爾發現的經典，而四年後，如前面提到的，他又在吐火羅語的龜茲抄本中發現這本書的註釋書。能親自檢驗印度文化的廣泛流傳，可說明萊維的學識之廣和深有多麼不凡。他在峇里島能夠收集到當地祭祀官傳唱的《奧義書》，也是因為有暗自記下的原因。

萊維晚年，還發現吉爾吉斯跟巴米揚的抄本，仍不倦怠的發表《律藏》和《阿毘達磨》殘骸的研究。

萊維1935年10月30日過世以後，收到來自各界學者的追悼文。包含印度學、庫車學等相關的學者如福舍、勒努、菲留匝等，佛教學的拉莫特、高楠順次郎、巴羅，印度語言學的布洛克.、尼泊爾史的佩德克，與吉美博物館的阿坎，漢學、日本佛教學的戴密微等。此外，巴黎大學的〈印度文明研究所報〉（1933-1935）中，也刊載思脆派克、奧督朗、摩絲、瑪爾遜、艾羅維的回顧及追悼短文。萊維三百五十件的著作，收錄在《書目商店》中，附有有關鍵字的索引。法蘭西公學院的印度學講座，於1937年由布洛克接任。

「肉身的萊維，比起他留下的作品更為偉大」，福舍寫到，這句話在27年後萊維誕辰百年紀念演講中也再度被引用。〈和萊維的一小時〉的訪談記事中，提及萊維反對鄙視殖民地的政策，認為理解當地文化是我們的任務，另外接受印度留學生，也是為了可以從西洋的文獻學更加理解印度文化。萊維認為各種文化都是平等的，並熱心地促成相互理解。今日我們在萊維的學問中，感受到魅力的原因，除了從他的廣泛視野及學識中誕生的許多創見及灼見之外，或許也是因為埋藏在底層的人道主義吧。

參考文獻

Louis Renou,〈西爾萬・萊維與其學術論文〉《萊維筆記》，巴黎，1937年所收 Louis Renou,"Sylvain Lévi et son oeuvre scientifique ", *Mémorial Sylvain Lévi*, Paris, 1937。

巴黎大學《印度文明研究所報1933-1935》巴黎，1936年。*Institute de Civilisation Indienne*, 1933-1935, Paris, 1936.

《獻給西爾萬・萊維》，巴黎，1964年 *Hommage à Slykvain Lévi*, Institut de civilization indienne, Paris, 1964.

《日法會館報》第八號（東京，1937年）所藏 Morandière、高楠、福舍、Joseph Hackin、戴密微的追悼文 L.de la Morandière, J. Takakusu, A. Foucher, J. Hackin, P.Demiéville, *Bulletin de la Maison franco-japonaise*, tome huitième (année 1936), pp.1-62. Tokyo, 1937.

Jules Bloch〈西爾萬・萊維與印度語言學〉,（法蘭西公學院教授就職紀念演講），巴黎，1937年・Jules Bloch, "Sylvain Lévi et la linguistique indienne".Leçon inaugural lue au Collège de France , le 13 avril 1937. Paris, 1937.

安德烈・巴羅〈西爾萬・萊維小傳〉André Bareau, "Notas breves. Sylvain Lévi,"*Revista de Estudios Budistas*, Anõs II, Núm3, 1992.

Maurice Maschino〈回顧西爾萬・萊維全集〉《佛教文獻目錄》第7-8卷，巴黎，1937年。Maurice Maschino, "Rétrospective: L'oeuvre complet de Sylvain Lévi,"*Bibliographie Bouddhique*, VII-VIII, 1934-1936, Paris,1937.

《法寶義林》第一卷，東京，昭和四年。

《佛教人文主義》，山田龍城譯，大雄閣，昭和三年。

沙畹

（Édouard Émmannuel Chavannes, 1865-1918）

池田　溫

沙畹於1865年10月5日出生於南法里昂的世家。祖父（L. Edouard）是著名的植物學家，父親（L.Emile） 則是水壺製造工廠的技師長。母親在沙畹生後一個月不幸病逝，沙畹於是由瑞士洛桑的祖母帶大。沙畹從里昂的中學到巴黎的路易大帝中學，再進入最高的菁英學府高等師範學院，才華受到校長佩羅的讚賞，決定專攻哲學。在學期間他對中國開始產生興趣，曾經拜訪巴黎現代東洋語學校講授東亞各國的歷史、地理、法制，並拜訪年長16歲的柯蒂埃，討論研究中國哲學的方向。柯帝埃雖認同並激賞他的想法，但哲學思想方面已有英國的理雅各翻譯 *The Chinese Classics* 奠定基礎，反而是中國的歷史雖然傳承了包含正史的豐富史料，卻仍是一片尚未開闊的領域，於是建議他研究歷史，此一故事在沙畹為柯蒂埃所寫的追悼文中有特別紀錄。

高等師範學院畢業後，沙畹得到校長佩羅的推薦和教育部長的同意，待在北京法國公使館當館員，1889年1月，他隨同一名青年翻譯，出發前往巴黎，3月到北京，之後約四年的時間，生活在清末的中國。期間，1991年他一度回國與家鄉的女子結婚，在中國期間除了精進漢語，解讀漢籍，努力蒐集中國的書籍、拓本等資料以外，也把畢生之志，進行司馬遷《史記》的譯註大業，並在其他山東省進行武氏祠石刻畫像石的調查，也不斷針對時事問題在報紙發表記事。研究成果如發表關於殷曆的論文（*JA* 8e Sér. XVI. 1890, PP.463-510）、《史記》封禪書的法譯註（*Journal of the Peking Oriental Society*, 1890, pp.xxxi, 1-95），他在年輕的時候就為人所知。

1992年11月，在法蘭西公學院擔任中國和韃靼滿州言語文學講座的德理文（Marie-Jean-Léon, Marquis d'Hervey de Saint Denys, 以翻譯唐詩至法文著名）去世，原本眾所矚目的東洋語學校教授兼院士的德維里雅（Gabriel Deveria, 1844-1899），無法從所在機關的外交部轉來，結果由教授會推薦的第一候補，年紀輕輕28歲的沙畹，得到金石文藝院大多數的票，於1993年4月回國就任教授。就職演說中，他以「中國文學的社會角色」為題，得到多方讚賞（Revue Bleue LII, 1893, II, 16, déc. pp.774-782）。其後他的生涯，就都貢獻於研究和著述以及學術活動。1895年他任職亞洲學會的幹事（la Société asiatique），同年6月20日的年度報告就打了小字印刷約180頁（*JA* IXe Sér. VI, 1895, pp.40-217）。1904年選上該學會理事，1910年成為副會長。而1903年，他緊接考古學家貝特朗（Alexander Bertrand, 1830-1902）之後被選為金石文藝院的會員，成為學藝雜誌《學者雜誌》的編輯委員。另一邊，荷蘭刊行的漢學代表國際雜誌《通報》的主編施古德（Gustav Schlegel）於1903年過世後，以協助剩下一營主編柯蒂埃為名擔任編輯者。他在《通報》誌上寫過的新刊介紹高達數一百多篇。

在他眾多的著作中，最龐大的莫過於《史記》的譯註 Les Mémoireshistoriques de Se-ma Ts'ien 全六卷七冊，三千多頁，由巴黎的 E. Leroux（最末卷由 Adrien Maisonneuve）出版，近年也發行縮印本。大致的結構為

第一卷　緒論　五帝～周本紀　1895

第二卷　秦～孝武本紀　1897

第三卷　一一　三代世表～漢興以來將相名臣年表　1898
　　　　一二　禮書～平準書　1899
第四卷　吳太伯～鄭世家　1901
第五卷　趙世家～孔子世家　1905
第六卷　陳涉・外戚世家（付康德謨譯註之楚元王、齊悼惠王世家、波柯拉的《史記》歐譯目錄及總索引）　1969

楚王世家以下及七十列傳，因作者忙碌加過度工作至死，沒有完成的機會，以至於本書未完全翻譯。然而簡約司馬遷傳、《史記》撰述的時代背景、《史記》依據的資料、司馬遷的方法與資料批評的概述等約250頁的序論，還有包含細心且清楚的譯文及簡要的註釋、以及例如漢代樂府、音樂的希臘、中國比較、《竹書紀年》的真實性等自己有興趣的題目的附論，本書的價值顯而易見，出第二卷時，還得到金石文藝院的儒蓮獎。

沙畹首先有了以下的基本認識：「無味枯燥如死灰般的年代紀錄《春秋》，是無法跟僅晚半世紀的希羅多德的著作相比的。（中略）中國的歷史學絕沒有到達希臘史學的高度，這一點是必須先知道的」。在他看來，「司馬遷並沒有討論使用文書的價值。他似乎忽略了介於精確和錯誤之間，一般史家作為標準的或然率。司馬遷只引自己認為正確的證據，自己認為錯誤的資料就無聲地埋在一邊。」（CLXXXII頁）、「司馬遷只用已經經過證實的真實文獻，或者由經驗來看沒有矛盾的文本。然而這種方法用在民族黎明期的文獻時，就會刪掉賦予歷史生命的神話，只剩下無味枯燥、無色彩的骨架。在大量的傳說中扮演核心角色的黃帝，也在司馬遷的手中淪為一普通的帝王。司馬遷試圖將傳說改變為事實，把本質為非實際的、概念性的東西賦予看似實際的外表，結果就變成比起荒誕的通俗信仰更虛構的東西」（CLXXXIV-V頁），接連挑戰《史記》的缺點，還斷定「也就是說司馬遷對資料的判定，是建立在低度的合理性，與自己思維態度無法形成正確一致時，就認為這完全缺乏被理解的能力」（CLXXXV頁）。然而同時，他也說「司馬遷有時會反映相當正確的論點，例如引用周昌之言的地方，甚至把口吃的聲音也寫進去了。另外他也毫不猶豫的紀錄稍微粗俗的語言。」（CLXII-III 頁）、「詩賦、論策、上奏文、碑銘、彈劾文、對話、俗謠等，都相繼出現在史記，也因此《史紀》就成為想知道過去的人採集不絕的泉源。而經由這樣收集各種不同的文章，司馬遷也成功破除〈本紀〉特有的無味枯燥及單調，並大大往前推進了編輯史書的技術」（CLXIX 頁）、或「司馬遷以西元前841年為上限，之前的文章就只是大概估算紀年，但這個事實也可看出他判斷的真實和誠實。」（CXCVI 頁），公正地承認書的優點。甚至，他還稱讚「司馬遷做〈八書〉時的立場，是可以跟近代歐洲具有批判性的史學家，在闡明社會事件意義時的立場相比的」（CLXXIV頁）。然後他還評論「司馬遷的方法，是在帝王及諸侯的年代記中加入個人的傳記，接著用〈十表〉、〈八書〉補足。這種方法缺少統一性，但也展現中國人思想上的分析性，而非總合性的特徵」（CLXXV頁）。

關於中國的歷史，一般歐洲還是以耶穌會士馮秉正（Joseph-François-Marie-Anne de Moyriac de Mailla, 1669-1748）翻譯的《通鑑綱目》、《同讀篇》等的翻譯 *Histoiregénérale de la Chine*（1777-1783）為主要參考對象，本書可說是劃時代著作。如果參考那珂通世的《東洋小史》出版於1930年，內藤湖南發表〈支那史學史〉則是在1914年、1915年及1920-1921年的話，就可看出沙畹對中國史的理解是相當進步的。此書緒論的主要部分，40年後才由岩村忍翻譯成日文（《史記著作考》文求堂，1939，全部的翻譯則在《司馬遷及史記》新潮社，1974）。前所引用的法譯《史記》緒論，多是根據岩村的翻譯。

承接法國漢學傳統的沙畹，對漢人在中亞及印度的事蹟，或者中西交流史的各種問題，都有所關注，並有所貢獻。唐僧義淨編《大唐西域求法高僧傳》的法譯 *Voyages des pèlerins bouddhistes.-Les Religieux éminenets qui allèrent chercher la loid dans les Pays d'Occident Mémoire composé à l'époque de la grande dynastie T'ang par I-tsing*（1894）獲得儒蓮獎，和萊維的共同著作悟空行記譯註（JA 9e Sér, VI, 1895）、解讀菩提伽耶五代北宋初期的中國僧祝察捐款的石刻（*Revue de l'Histoire des Religions* XXXIV, XXXVI, 1896-1897）、宋初的繼業行記（*BEFEO*, 1902,1904）、有關王玄策的刻文法譯（JA 8e Sér. XV, 1900）、北魏宋雲行記法譯（*BEFEO*, 1903）等，都在基礎的研究中佔有一席之地。

《魏略》西戎傳法譯（*TP* 1905）、《後漢書》西域傳譯註（*TP* 1907）、《後漢書》班超、班勇、梁憧傳法譯註（*TP* 1906）三部作，都是今日考察漢魏西域的人仍然會參考的苦作。他這方面的名作，還有《西突厥史料集》（*Documents sur les Tou-kiue (Turc) occidentaux (St. Peterburg, 1903)*）、《同補遺》（*TP* 1904），俄國人發現的闕特勤碑意外為中古突厥民族史研究的興起扮演重要的角色，有馮承鈞的漢譯（1934）、和岑仲勉的中國史料增補（1958）。景教和巴喇哈遜碑的論文（*JA* 9e Sér. IX 1897）以及突厥的十二支研究（*TP* 1906），也是上述研究的後續。

而他還有印度方面來華的僧會（*TP* 1909）、求那跋摩（*TP* 1904）、闍那崛多（*TP* 1905）的事蹟研究，從宋朝派往遼金的許亢宗《宣和乙已奉使行程錄》法譯（*JA* 10e Sér. XIV. 1909, JRAS 1911）、關於麗江的歷史、地理資料（*TP* 1912）等，他的領域也擴及各處。

西南中國的研究也有南詔德化碑（*JA* 9e Sér. XVI, 1900）、雲南的四石碑（*JA* 10e Sér. XIV. 1909, JRAS 1911）、關於麗江的歷史、地理資料（*TP* 1912）等貢獻。

20世紀初期，斯坦因探險隊和伯希和隊的帶回的新史料——漢晉的木簡和唐代官私文書、敦煌寫本摩尼教典籍等，沙畹也早早開始解讀，從原本的史料開拓新研究領域，也可說是他不可抹滅的功績。解讀斯坦因第二次中亞探險從敦煌、酒泉北方的漢代長城遺址發掘敦煌漢簡及樓蘭晉簡與紙文書、東突厥斯坦的丹丹烏里克等，幾個地點採集的唐代官、寺院、私人文書及納稅鈔木牌等的成果《斯坦因卿東突厥斯坦沙漠發現之漢文文書集》(*Les documents chinois découverts par Aurel Stein dans les Sables du Turkestan Oriental* (Oxford, 1913))為付圖之大本，是研究漢簡中最早的名著。沙畹與伯希和共同研究的敦煌寫本〈摩尼教殘卷〉詳考 *Un traitémanichéenretrouvéen Chine*(*JA* 10e Sér. XVIII, 11e Sér. I, 1911, 1913)是一本三百多頁的大論文，裡頭包括摩尼教從中國傳入至滅亡，極盡所能的復原東亞摩尼教史，十分成功。從傳教士的調查開始的漢學，宗教研究自然佔很大的比例。沙畹也活用這個傳統，除了前列的佛教作品，也從《六度集經》、《諸譬喻經》、《雜寶藏經》、《律部》等採錄五百篇的故事說話，翻成法文 *Cinq cents contes et apologues extraits du Tripitaka chinois et traduitsenfrançais*, 3 vols(1910-1911)之外，還與萊維一起出版〈護法十六羅漢研究〉(*JA* 11e Sér. VIII, 1916)。道教方面，則有石刻道德經拓本(*TP* 1905)、〈民間藝術可見的福壽圖樣〉(*JA* 9e Sér. XVIII, 1901)，〈與儒教有很深淵源的泰山信仰〉，有系統性地整理出 *Le T'ai-chan-Essai de monographie d'un culte chinois. (Annnales du Musée Guimet, Bibl. d'Etudes*, t.XXI, 1910)，十分有名。本書也附土地神—社的研究。1907年，他隔十幾年後再度訪問華北，花了約七個月間走訪史蹟、石窟等考級美術資料的地方，並努力的調查。範圍包括瀋陽、輯安、天津、濟南、青州、濰縣、肥城、泰安、曲阜、鄒縣、嘉祥、歸德、開封、鞏縣、登封、洛陽、龍門、西安、乾州、醴泉縣、韓城、太原、五台山、大同、雲崗、張家口、北京等。旅行中，還與北京留學的蘇維埃漢學之父阿列克謝耶夫(1881-1951)一起同行一段時間。他們調查的結果，收錄於大開本目錄《華北考古調查圖錄》

Mission archéologique dans la Chine septentrionale（Publications de l'Ecolefrançaise d'Extreme Orient vol.XIII, 1909），裡頭有兩套488張照片，後付漢代雕刻及佛像雕刻解說兩冊99張圖出版（1913, 1915）。包含好太王碑的照片的照片目錄，清楚傳達20世紀初的各史蹟現況，至今仍常被拿來參考使用。他死後，吉美博物館設有沙畹紀念室，展示畫像石跟佛像，他與謝閣蘭等人的著作一起受到後人讚頌。

沙畹還致力於歷史研究並活用藝術資料，除了上述的論文以外，新疆、甘肅、的十種石刻（1902）、居庸關的漢、蒙文刻文（*JA* 9e Sér. IV, 1894）、包含元代公文的碑刻（*TP* 1904, 1905, 1908）、在蘇州文廟的地理、天文、皇統、蘇州城圖石刻（*Mémoires concernant l'Asie oritntale*, tom I, 1913）等，發表許多重要的研究，繪畫及雕刻的論文也不少。

1914年第一世界大戰爆發後，沙畹開始在巴黎西郊的豐特奈之玫瑰市自家接收比利時和北法的難民，和太太一起忙於照顧難民，一邊還擔心前線的的獨生子，再加上金石文藝院的公務負擔越來越重，美術家好友貝土路齊（Raphael Petrucci）又於1916年2月去世，他沈浸於哀傷中傷及身體，終於在1918年1月29日，52多歲結束了生命。法蘭西公學院的課程，由馬伯樂（Henri Maspero, 1883-1945）接任。

說明他的略傳和經歷、以及介紹新刊等一字不漏蒐集下來的著作目錄，經由柯蒂埃之手發表（*JA* 11e Sér. II, 1918, PP.197-248; *TP* XVIII, 1917, PP.114-147）。日本在他去世該年五月，有與他相好的狩野直喜、榊亮三郎、濱田青陵三位的追悼文，刊載於《藝文》第九卷第五號，（56-58頁），隔年一月，囹下（後岩井）大慧執筆的〈沙畹教授的建樹〉出版於《史學雜誌》第30篇第一號的海外史壇欄（116-134頁），紀念逝世十年的圖書展覽會舉辦於東洋文庫時（1928年1月29日），會場發送的〈故沙畹博士紀念展覽書目〉中，刊載了石田幹之助執筆的〈沙畹博士小傳〉。此小傳使用流麗的文言文，還附有97

條詳細的分類著作目錄，可說是了解沙畹最好的入門。幾年後加以增訂，收錄在石田幹之助的《歐美的支那研究》（創元社，1942年）。

慶應義塾大學斯道文庫的柯蒂埃文庫中，也收藏收錄沙畹獻詞的裝訂著作，可由此端詳沙畹的豐功偉業。

巴托爾德
（Vasilii Vladimirovich Bartold, 1869-1930）

小松久男

少壯的學徒

巴托爾德於1869年11月3日（西曆則是15日）出生在聖彼得堡。此時也正值俄國大破浩罕汗國，於塔什干建立突厥總督府，俄領中亞已成既定事實的時代。很偶然的，巴托爾德的雙親和首任突厥總督府的卡夫曼將軍都同屬德裔俄國人。巴托爾德的父親為股票經紀人，家境小康，巴托爾德也因此在接受充分的基礎教育後，選擇自己的未來，也就是決定成為一歷史學家。他對歷史的興趣，源自於文理中學學生的時期。1886年，7年級的他就已自己寫過蒙古史的概要。歷史學中，他也相當迷惘究竟要選擇古代史，還是要中近東史，最後他選擇後者，1887年進入聖彼得堡大學東方語學部，成為阿拉伯語、波斯語及突厥語科的學生。

巴托爾德在學校一邊學習各種語言，一邊也積極的學習伊斯蘭中世紀史，但在這一方面，該學部的課程對他來說稍嫌不足。根據他的自傳，「東洋史只有一個老師，Vesselovsky 教授開的歐人至東亞旅行史的共同科目以外，中亞史就只有幾門課而已」，巴托爾德的指導教授是 N.I.Vesselovsky（1848-1918），而接受過研究指導的，則是阿拉伯學者羅善（V.R.Rozen, 1849-1908）。

羅善將東洋學從以往翻譯和語言教育的輔助角色中解放，以文獻學為中心樹立獨自的學問，在歐洲的學界是佔有一席之地的努力學者。而巴托爾德之後也經由羅善安排，成為羅善創刊之俄國東洋學基礎學術雜誌《俄國考古學協會東洋部論集》(1886-1921)的編輯，羅善也以培養巴托爾德及其專攻突厥學的朋友 V.V.Melioransky(1868-1906)等優秀人才著名。巴托爾德也透過 Melioransky 的介紹，認識傑出的突厥學學者、也是金石文藝院的會員拉德洛夫(V.V.Radlov, 1837-1918)，因而得以加入羅善和拉德洛夫的讀書沙龍，對他的學問養成影響很大。

巴托爾德的積極的研究活動，從他在學期間就已經開始。根據阿拉伯文史料考察涅思多留派的處女作〈中亞的基督教〉，就因內容優秀於1889年獲贈學部的銀牌。1891年學部畢業以後，他經由羅善的推薦到歐洲自費遊學，得以加入德國伊斯蘭—阿拉伯的泰斗的講座。之後巴托爾德也並沒有窩在俄國，終生都不斷的與歐洲的東洋學者進行交流。

不朽的成就

巴托爾德回國後，於1896年成為聖彼得堡的兼任老師，1890年代20歲時，巴托爾德就已完成確立他地位的名著《蒙古侵略期的突厥斯坦》。此1900年提出的學位論文，包含阿拉伯穆斯林軍7世紀末至13世紀進出中亞的豐富第一手史料與當地調查的成果，是前所未有的力作，內容也不僅止於政治史及歷史地理的考察、考證，對例如回教化後的都市社會變遷的社會、經濟問題，也都不吝關注，是劃時代的研究成果。這篇論文原本是大學學位的論文，但內容受到大學的認同獲頒博士學位。另外這本著作之後在世界廣為流傳，也成為全世界學術的共通財，是因為它的英譯版被收錄在基輔紀念叢書，之後被各國翻譯，現在也是前人研究中首先參考的文獻，有相當高的評價。而他其他從帖木兒時代開始的研究也被稱為此書的續集，都相當的傑出。

年輕力盛的東洋學者巴托爾德的經歷，跟同行比起來也是光彩獨具。1901年聖彼得堡大學東洋語學部客座教授、1906年該學校正教授、1910年金石文藝通信會員、1913年金石文藝學院正會員。期間巴托爾德傳世的研究成果不勝枚舉，生涯發表的學術著書、論文，超過四百多項。在此列出1963年至1977年間莫斯科出版的著作集（全九卷）的標題和收錄於此的主要著作，以介紹他工作的概要。

第一卷　《蒙古侵略期的突厥斯坦》

第二卷第一分冊　《關於中亞史的整體成就》(〈七河史概述〉、〈突厥斯坦史〉、〈突厥斯坦文化史〉、〈伊斯蘭世界的歷史中裡海地區的位置〉)

第二卷第二分冊　《中亞史上的各種問題》(〈烏魯伯格及其時代〉〈阿里希爾・納沃伊與政治〉)

第三卷　《關於歷史地理的著作》(〈從古代到十七世紀裡海和阿姆河下流地區的紀錄〉〈突厥斯坦灌溉史〉)

第四卷　《考古學、貨幣學、碑銘學、民族學的著作》

第五卷　《土耳其及蒙古各名族的歷史及文獻學的著作》(〈關於中亞的土耳其裔民族的十二課〉〈突厥蒙古民族的歷史〉)

第六卷　《關於伊斯蘭及阿拉伯哈里發國的歷史的著作》(〈哈里發及蘇丹〉〈伊斯蘭〉〈伊斯蘭文化〉)

第七卷　《關於伊朗的歷史地理和歷史的著作》

第八卷　《史源學的著作》

第九卷　《關於東方學歷史的著作》(〈歐洲及俄國的東方研究史〉)

需特別注意的是，巴托爾德曾經投稿歐洲伊斯蘭學者極力編纂的《伊斯蘭百科辭典》（1913-1942），投稿自己與中亞有關的264件著作。其中包含歐洲專家也不知道的內容，伯希和讀過以後，對巴托爾德的實力十分讚賞。他的著作中，現在出版的《伊斯蘭百科辭典》新版裡也可找到不少。巴托爾德可說是完美的回應了恩師羅善的期待。

與突厥斯坦的接觸

巴托爾德關心的範圍，包括歐亞大陸中央及伊斯蘭世界的大部分地區，其中最明顯的是中亞，也就是突厥斯坦地區。1893年首次去突厥斯坦進行調查時，他從馬上摔落骨折，導致一隻腳終生都不良於行，遭逢如此變故的他，不得不在塔什干進行長期的療養，但也因此有機會和突厥斯坦當地的研究者交往。他除了創立「突厥斯坦考古學愛好協會」（1895～1917），積極的參與活動外，也在當地發行俄語的報紙、雜誌上投了不少啟蒙的論文。

巴托爾德於聖彼得堡大學栽培了如 A.N. Smoilovich（1880-1938）等東洋學者，接受他的薰陶的不只有俄國人。巴什基爾人的 Zeki Velidî Togan（1890-1970）也被巴托爾德發現他的才能，邀請他加入俄國東洋學界，成為穆斯林學徒中的一人。Togan 長於解讀東洋語史料，在巴托爾德撰寫名作《烏魯伯格與其時代》時協助他，巴托爾德在回憶錄中還寫下兩人一起工作時，自己也學到很多。第一次世界大戰開始後，巴托爾德的學生多被徵兵，戰死者逐漸增加。巴托爾德為了免除 Togan 的徵兵四處奔波，也訴說著他對 Togan 的期待之大。Togan 在俄國革命後反對布爾什維克的民族政策離開俄國後，巴托爾德也並未與這位「反革命、中產階級的民族主義者」斷絕往來。

一生中好幾次到突厥斯坦調查旅行的巴托爾德，對考古的發掘及歷史文物、文物保存等也有很大的興趣，他真心喜歡的，就是調查及收集遺留在各地豐富的抄本史料。在他的自傳中，直接的寫到，自己在閱讀還沒有任何人使用過的抄本的喜悅，就像發現新世界的先驅一樣。在巴托爾德身上象徵的東洋學的光芒，如果少了中亞殖民地的存在就無法表現，而俄國東洋學累積的抄本、文書資料對日後的中亞研究有多大的貢獻，也是無法否定的事實。

巴托爾德也是一位會針對突厥斯坦和其居民的無知跟歧視，進行批判的有識之士。曾說過「俄國雖說很大，但除去外高加索的一部，卻也沒有像突厥斯坦一樣可以孕育古文化的地方」的他，相當確信突厥斯坦的穆斯林已有脫離「中世紀生活」的能力。

革命後的巴托爾德

推翻帝政的二月革命後，巴托爾德對俄國的「光彩未來」相當期待，因此布爾什維克革命突然發生，他自然也是不知所措。然而，實踐中亞革命的新興蘇維埃政權，最不可或缺的就是巴托爾德這樣的專家，而巴托爾德自己也並沒有放棄在俄國作研究打算。也因此，他成為金石文藝院東洋學者協會常任議長，參與建立新蘇維埃東洋學，創建塔什干中亞國立大學等積極參加各種研究、教育機關的設立和組織化。

在新體制下，巴托爾德也不輸革命之前，活躍的進行研究，足跡不止於中亞，還擴及芬蘭、英國、比利時、荷蘭、德國、土耳其等。1920年9月，他拜訪革命後的布拉格之後，在城堡中目睹受到蘇聯紅軍的攻擊而燒到化成灰，只剩些許的文字的眾多抄本的慘狀，1926年他仍受土耳其政府之邀前去伊斯坦堡大學，講授有關中亞土耳其裔民族的歷史名課。講義紀錄也在 Togan 的努力下首先以土耳其文出版，之後再翻成德語和俄語出版。

1920年代後期，巴托爾德接續完成塔吉克、吉爾吉斯、土克曼等中亞各民族的歷史概論。這些概論在1924年以後，也成為在蘇維埃的民族政策的準則，中亞也以這些民族組成共和國。新的「民族國家」，需要有相符的「民族史」。然而，閱讀近來公開的巴托爾德的遺稿〈關於中亞土耳其及伊朗裔民族的相互歷史關係筆記〉後，可發現他也不大認同這種民族政策。他認為，1924年「劃定民族－國家的界線」準則，是根據「十九世紀西歐的經驗，而中亞的歷史傳統完全不同」。從烏茲別克和塔吉克國族的相抗來看，似乎有必要重新傾聽巴托爾德的灼見。

1928年3月，巴托爾德失去愛妻 Mariya Alekseevna。而沒有小孩的他，也立即回應 Mariya 的死。巴托爾德於1930年8月19日去世，像是追在夫人身後一般，享年61歲。

巴托爾德並非馬克思主義的歷史學家。然而，他用自己於中亞及伊斯蘭史方面不朽的成就和文獻學方面充足的知識，對史料進行嚴密的批判分析等研究方法，是蘇維埃東洋學不可抹滅的財產。1974年3月，蘇聯科學文藝院東洋學研究所設置連續講座，名為「巴托爾紀念講座」。

主要著書、評傳

Akadenik V.V. Bartol'dsochineniya, 1-9, Moskava, 1963-1977。《金石文藝院會員 V.V. 巴托爾德著作集》全九卷

W.Barthold, *Turkestan down to the Mongol Invasion*, London,1928,3rd ed.,1968.《蒙古侵略時期的突厥斯坦》

V.V. Barthold, *Four Studies on the History of Central Asia*, trans. by V. and T. Minorsky, vol 1-3, Leiden, 1956-1962.《關於中亞的四個研究》

W. Barthold, *An Historical Geography of Iran*, trans. by S. Soucek and ed. By C.E.Bosworth, Princeton, 1984.《伊朗的歷史地理》。

巴托爾德著，外交部調查部翻譯《歐洲及俄國的東洋研究史》生活社，1939年，復印，新時代社，1971年。

巴托爾德著，長澤和俊翻譯《中亞史概述》，角川文庫，1966年。

B. V. Lunin. *Istorioprafiya obshchestvennykh nauk v Uzbekistane: Bio-bibliograficheskie ocherki*, Tashkent, 1974。《烏茲別克社會科學的歷史 文獻學概述》

B.V.Lunin, *Zhizn' Ideyatel'nost' Akademika V.V. Bartol'da*, Tashkent, 1981.《金石文藝院會員 V.V.巴托爾德的生涯及著作》

M. Olimov, "V.V. Bartol'd o natsional'nomrazmezhevanii v Srednei Azii", *Vostok*, 1911. No.5《中亞民族的界線劃分和巴托爾德的見解》

I.petrushevskii, "Akademik V.V.Bartol'd", *Akademik V.V. Bartol' dsohineniya*, tom 1, Moskva, 1963.〈金石文藝院會員巴托爾德〉《巴托爾德著作集》收錄於第一卷

Z.V. Togan, Hatralar, Istanbul, 1969《回憶錄》

香山陽坪〈俄國帝國時代的中亞研究（二）以巴托爾德為中心〉《東洋史學》第28號，1993年

香山陽坪〈俄國帝國時代的中亞研究（三）〉《東洋史學》第29號，1994年

貝特霍爾德·勞費爾
（Berthold Laufer, 1874-1934）

武田雅哉

貝特霍爾德少年勤勉於學

1873年1月8日是一吉日。馬克思·勞費爾和 Schlesinger 家的歐格尼小姐，手牽著手（大概）結婚，在科隆（可能）建構甜蜜的家。新婚妻子剛生下長女羅莎後，又在隔年1874年10月11日，生下男孩。年輕夫妻命名為貝特霍爾德。而這位未來會成為東洋學的大師貝特霍爾德·勞費爾的哭聲，在這天響遍科隆的街頭。

關於家族的紀錄十分貧乏。父親馬克思在科隆商店街經營紳士服飾店，還開有分店，生意興隆。馬克思到1922年，而母親歐格尼在1927年前，名字都還出現在科隆的居民簿上。貝特霍爾德有一個弟弟海力希，後來以西藏醫學的論文取得博士學位，至1935年死於埃及前，都在當地開業當醫生。另外還有兩個妹妹。

小學（1880-1884）在艾瑞希·威廉文理中學（1884-1893）及科隆完成初等、中等教育，貝特霍爾德進入柏林大學，學習經濟學、文學史、美術史等。貝特霍爾德一開始想當作家，但後來逐漸對東方的語言和民族學感興趣。柏林大學和其東方語言研究所等跟葛祿博（Wilhelm Grube）學中文、跟甲伯連孜（George von der Gabelentz）學馬來文、跟喬治·胡特（Georg Huth）學藏文、又跟藍傑（Rudolf

Lange）學日文。可說是在德國東方語言學的寶殿學習遠東的各種語言，相當幸福。1896年至1897年間，他在科隆步兵連隊服兵役，1897年他西藏文的研究受到肯定，獲頒萊比錫大學的博士學位。

地球探險的時代

到目前為止，他看起來只是一位優秀的學生。改變貝特霍爾德人生的關鍵，掌握在紐約哥倫比雅大學講授民族學的德國學者法蘭茲・鮑亞士（Franz Boas）手上。鮑亞士推薦貝特霍爾德去當庫頁島、黑龍江地區的民族學調查探險隊──傑賽卜北太平洋探險隊的隊長。1898年5月，貝特霍爾德從紐約到日本，經過海參威到達庫頁島，一直到隔年的春天，都在收錄吉利雅克人民謠，進行調查。

1901年12月至隔年11月，在捷克夫・H・史基夫的幫助下，這次他參加調查中國的探險隊，並參與指揮。該隊是受紐約的美國自然史博物館委託的隊伍，貝特霍爾德被交付沈重且如同夢一般的目標：「完成現代中國的文化與產業的收集」，也因而「可以自由地用錢」，獲得一萬五千美元。

探險的成果使貝特霍爾德的才能受到肯定，1904年，他就任美國自然史博物館民族學部門的助理職（～1906）。其間，也在哥倫比亞大學講授人類學及東亞語言學。1908年，就任芝加哥菲爾德博物館東亞部次長。1911年就任該館亞洲民族學部次長，接著1915年就任人類學部長等職位。貝特霍爾德，不，能夠自力更生的勞費爾博士，以菲爾德博物館為基地，至死都從事東洋學的研究。1913年獲頒芝加哥大學法學博士，就任美國東洋學會的會長等重任。

話雖如此，他並非一直坐在書桌前。他以 Blackstone 夫人探險隊（1908-1910）的隊長為名，參加中國、西藏的調查，又為芝加哥紐伯里圖書館及約翰・凱爾文庫，購買相當大量的中文、滿語、西藏語、蒙古語、日語等，跨及各種領域的圖書。另外也領軍馬歇爾非爾探險隊（1913），實地調查中國。

勞費爾博士

歐洲學者型的體型，泛黃的臉，老鼠色的頭髮中分，大大的鼻眼鏡加上老派的燕子領及黑色領帶，暗色的商用西裝和黑鞋。這是留在菲爾德博物館的同事亨利·菲爾德印象中，生前的勞費爾的暖男裝扮。

另外，被譽稱為「走路的字典」勞費爾，也是值得信賴的博士。他的研究室中，包括一般市民，每天都收到許多問題。一位出身地不明卻知道博士很懂印地安人的小哥，曾經寫過這樣的信。「呃，我，要跟女生約會了。想說講一些印地安人的話題討她歡心，有沒有什麼有趣的梗呢？」

包括拚命的探索邊疆，博物館的重擔，積極的寫作活動，以及提供追女生的話題等，勞費爾博士的工作實在是非常厲害。他曾經也有過一天工作16個小時的時候。他的研究室有兩個桌子，每個都擺滿如山的書。桌子間有個旋轉椅，可自由的四處移動，處理不同的事情。

博士也很愛音樂和戲劇。特別是貝多芬、莫札特、李斯特的曲子，他自己也會演奏。家族聚會上，他也常準備玩偶，在大家面前表演。表演的題材多是中國的，勞費爾據說很會講故事。他也曾為了博士館的展覽介紹寫過《東方的戲劇》（1923），從空閒玩樂中，也可窺見他的人格特質。

勞費爾辭世

留下輝煌業績的美國東洋學界之寶勞費爾，死前卻是難以理解的悲慘。1934年，他罹患胸部腫瘤，臉色土色如土，手抖，已經沒有以往的精神。在克里夫蘭接受手術後，三週後回到芝加哥的公寓。

「我去一下大廳，等等一起去看電影吧。幫我叫一下計程車」。1934年9月13日，貝特霍爾德跟妻子說完話離開房間，就這樣直接走上樓梯，從八樓的緊急樓梯向外跳下。紳士般的暖男及東洋學的偉人，就這樣離開這個世界。

博士留下的東西

石田幹之助曾在〈聽聞貝特霍爾德·勞費爾博士的訃聞〉（收錄於1934《歐美的支那研究》），列出他兩百數十件的論文、書評等。此外，德國所編的著作集（*Kleinere Schriften von Berthold Laufer*, 1976）的目錄中，包含死後至1971年別人所編的著作及影印版，總共490項。

勞費爾的代表作，包括以人類學及宗教學方法研究中國玉器的《玉器圖錄》（*Jade, A study in Chinese Archaeology and Religion*, 1911），討論土偶及土偶樣士兵的鎧甲，甚至是用於鎧甲的犀牛的《中國土偶考》（*Chinese Clay Figures*, 1914），逐條論述伊朗產物的影響的百科書《中國與伊朗》（*Sino-Iranica*, 1919）。短文在此不勝枚舉，但有《飛行的古代史》、《麒麟傳入考》、《鏡頭考》、《曼陀羅草考》、《亞洲的香煙及其使用》等等，滿滿都是歡樂的標題。也有《中國基督教藝術》、《中國的聖母》、《漢代墓室雕刻》、《孔子與其雕像》等，可說是先驅的圖像研究。

我們來看《中國土偶考》的結構，第一章是《犀牛的歷史》。出土土偶大多都穿著鎧甲。古代鎧甲多由犀牛作成。因此首先先複習犀牛的生物知識。筆者曾經試圖將這部分日譯，勞費爾在中國尚未成熟的圖像研究方法用極純樸的方式，展開犀牛的博物館研究。然而其中的註釋雖然大多與內容脫離，卻如同聽落語一樣令人舒服。就像在小孩面前演人偶劇一樣，說書人勞費爾帶著讀者各處轉到處跑。然後，跟大家這樣說。「但是呀，這些呀，都是我們人類做的事情唷」。使人無法說出如「什麼嘛，跟我有什麼關係」般無情的抱怨和掃興的話。

勞費爾的論文從現代來看，當然有「過時」的地方。但是《中國的科學與文明》中時常引用勞費爾的李約瑟（Joseph Needham），仍強烈認為勞費爾的研究至今仍保有優秀的原創性，不應該與過去的文物一起埋沒於世。

1904年，勞費爾在中國生活了幾年後回國，據說他在中國期間，跟中國人相處融洽。回國後，於《Evening Post》刊載訪問稿（1905），洋溢對中國人及其文化的敬愛。甚至直言外國人與中國人之間有衝突的話，多半是外國人的錯。現在，在中國的外國人，不知是受到本國的什麼影響，很多很愛批評中國人的習慣和制度。異文化接觸時的確難免出現碰撞，而有時也出現讓勞費爾生氣的事情，但勞費爾也同時喜悅的覺得這些事情「不是很有趣嗎？」，對異文化保持寬容的態度。

向勞費爾學習

石田幹之助在編前述的著述目錄時，曾說「舉凡新時代的漢學家，多少都深知他知識的淵博的程度，若能幫助我等後進之徒奮發，則是筆者的大幸，再好不過了」。身為「新時代」學徒的我們，是否錯失被勞費爾「造詣之廣」所震懾的機會呢？沒有伴隨生物歷史之愛的「學術論文」，是一丁點不會浮現享受脫軌的精神及幽默的。

當有趣的東西，令人期待的東西在我們面前滾動時，我們不能休息。地球充滿著我們一輩子玩弄也不夠的好奇事物。──這是勞費爾廣泛的研究題目，他的文章跳脫再跳脫後，再用嚴肅的神情繼續研究，似乎也訴說著類似的事情。

前陣子，我在北海道大學的校園中看到身穿印有勞費爾的肖像及「向勞費爾學習」的句子的 T-shirt 的女學生，談笑風聲，勞費爾自身所感受到對中國文化的熱情與興奮，若這位女生也可以親自體驗的話，就再好不過了。

話說，1906年前後勞費爾使用的藏書籤，印有如下的句子。「night rasten und nicht rosten」一別休息！且別生鏽！

主要著書・評傳

「中國基督教藝術」（Chiristian Art in china, *Mitteilungen des Seminars für Orientalische Sprachen. 1. Abt.: Ostasiatische Studien*, 13, 1910）日譯則有成瀨不二雄（《大和文華》94，大和文華館，1979）

《玉器圖錄》（Jade, A study in Chinese Archaeology and Religion. *Field Museum of Natural history.Pubrication* 154, 1912）

《中國土偶考》（Chinese Clay Figures. *FMNH. Publication* 177, 1914）其中第一張日譯有《犀牛和獨角獸》（武田雅哉譯，博品社，1992年）

〈節孔扇貝與敘利亞的羔羊〉（The Story of the Pinna and Syrian Lamb. *Journal of American Fold-lore*. 28. 1915）日譯收錄於《斯基泰的羔羊》（尾形希和子、武田雅哉譯，博品社，1996）

《中國與伊朗》（Sino-Iranica. *FMNH. Publication* 201, 1919），日譯由博品社近期發行。

《麒麟傳入考》（The Giraffe in History and Art. *FMNH. Anthropology Leaflet* 27, 1928）日譯為《麒麟傳入考》（福屋正修譯，博品社，1992）

《飛行的古代史》（The Prehistory of Aviation. *FMNH. Publication* 253, 1928）日譯為《飛行的古代史》（杉本剛譯，博品社，

1994）

《馬鈴薯流傳考》（The American Plant migration. 1. The Plato. *FMNH. Publication* 418, 1938）逝後發現的筆記由 C.M. Wilbur 整理，編輯。日譯有《馬鈴薯流傳考》（福屋正修譯，博品社，1994）

*勞費爾的著書，今後也將由博品社陸續日譯及發行。

評傳（限日語）

石田幹之助〈聽聞貝特霍爾德・勞費爾博士的訃聞〉（收錄於《歐美支那研究》）

武田雅哉〈科學偵探中勞費爾贊〉（收錄於前述《犀牛與獨角獸》）

伯希和
（Paul Peillot, 1878-1945）

森安孝夫

伯希和於1878年5月28日出生在巴黎，1945年10月26日於巴黎逝世，是道地的巴黎人。「世界最厲害的東洋學者」出現在他盛大的喪禮弔辭中，及他死後不久就被刊載世界東洋學相關雜誌在他的追悼錄裡，這樣的評價就算50年過去依然不變。漢學、蒙古學、西藏學、東南亞學、土耳其學、伊朗學、佛教學、東西交流史學等領域，他都是超級一流，並且就算現在有超越他成就後部分的人出現，也還沒有全部成就超越他的人出現。在這些研究領域的研究人員幾乎沒有人不知道他的名聲，並且大多被他的著作所震懾，包括資訊之多、想法之豐富、方法之嚴謹等，絕對都對他論述的發展感到驚嘆。

在學界出道的極東學院時代

原本立志要當外交官的伯希和在1899年畢業於巴黎的政治學校，同時，在常人要花三年的東方語言學校中國語課程中，以優秀的成績兩年畢業。同年八月，研究剛開始不久，就被選為印度支那考古學調查團的獎學研究員。他也因此透過海路前往印度支那，1900年1月登陸西貢後，立刻前往順化。當時的順化，在法國保護下，是阮氏越南的首都，他也在此時前往當地的宮廷圖書館調查漢文及越南語的書籍。隔年二月，他受命前往中國收集文物。當時的中國，尤其在華北一帶，正值前一年義和團之亂的情緒高漲之際，而在六月義和團也得到排外的滿州人官員及皇族的默許，包圍北京各國大使館區域，義和團事變正式爆發。當時遭遇此事件的22歲青年伯希和，自願擔任志願兵，擔任保衛各國大使館區域的工作，讓在當地的歐洲人及中國基督教徒看到他英雄般活躍的身影。

他最初就任於印度支那考古團，1900年改名為極東學院。本部也從西貢移到河內。這個組織雖然說是學院，但實際上沒有學校的機構，單純是致力於研究的地方。伯希和雖然一開始以漢學為主，在1901年他成為正研究員穩固地位以後，研究對象就不限於中國，擴及中南半島及東南亞等地區。極東學院的機構雜誌《法國極東學院紀要》（*Bulletin de l'EcoleFrançaised'Extrême-Orient*, 簡稱 *BEFEO*），創刊於1901年，他從一開始就參與編輯，持續出版漢學相關的書評，一方面也早在第二號刊載描述十三世紀末柬埔寨樣貌的《真臘風土記》詳細的譯註，之後又在第三號發表湄公河下流域的扶南研究，又於第四號出版大作〈八世紀末中國到印度的兩條路〉。

他在學生時代就和偉大的漢學家沙畹及印度學者萊維（Sylvain Lévi, 1863-1935）是同學，他也學到要完全理解中世紀以前的印度和中國，不看佛教是不可能的。他還認為印度佛教和中國佛教的研究不應該是單獨孤立的，而應該要互補的研究。也因此他特別關注連結兩者的佛教僧侶所留下的遊記，並追尋其軌跡，最終在闡明連結中國和印度的主要幹道上找到了熱情。他的工作雖然在遠東學院，但他如上述完成東南亞相關的各種論考的背景，絕對是因為東南亞是這方面的主要幹道的原因。他認為這主要幹道才是所謂「絲路」，且是「佛教之路」。當然說到「絲路」或「佛教之路」，不只有東南亞，中亞或西藏或許更適合。從 *BEFEO* 創刊號到第十號每回刊載的伯希和書評及概要中，也散見中國、東南亞以外中亞及西北印度的東西。這也是理所當然的。在此之中，和原本是外來宗教的佛教一樣，透過絲路傳入中國的摩尼教、景教、基督教、伊斯蘭教，以及被視為異端的白蓮宗、白雲宗，還可見被視為偽經的化胡經等，他往往喜歡從異文化交流史的觀點來看宗教，這些也都意外的暗示他之後的研究方向。

1901年，他又被任命前往中國。義和團事變加速清朝的混亂，而市場大量流出許多書籍和文物，他便用公費買下這些東西。之後一直到1904年，他便斷斷續續的收集，甚至在1908年，他還大規模的收集這些資料，充分展現文獻學家的素質。結果他收集了包括《古今圖書集成》的原刊本同活字本及明版《道藏》的巨大稀有書籍、和各種叢書和地方誌的大量漢籍、十七世紀北京版西藏文的大藏經、十八世紀康熙版蒙古大藏經、滿文本、越南語本等其他書籍，甚至是青銅器、繪畫的收藏等。現在這些都收藏在巴黎國立圖書館及吉美美術館。

就這樣，他在遠東學院時代得以接觸大量漢籍及其他東方語言的文獻，從沿著絲路或南海路的地區、民族的研究，到後來大幅度的進行中亞歷史、語言、宗教的研究，和與其表裡一體的東西交流史的研究等，逐漸打下研究的基礎。後來，他曾經回憶說自己研究的起點是遠東學院，使他培養了終生不變的興趣，讓人不得不覺得的確如此。

中亞探險

十八世紀以來，法國東洋學引領歐美，尤其在十九世紀末到二十世紀初，邁向全盛期。法國漢學的傳統，是將中國定位在亞洲史、甚至是世界史之中，把漢文史料當作東洋學整體的資料來使用。另一方面，同樣十九世紀到二十世紀初期，歐洲各國及日本的探險隊也在東突厥斯坦進行古代遺跡的調查，陸續發現各種語言的文書，以及傳達各種古代文化面貌的壁畫、雕刻、織品其他文物，讓這個從絲路的全盛時期以後就未受矚目的亞洲內地暫時得到眾人的目光。帶回來的大部分文字史料及考古資料，都是與古代在此地最繁盛的佛教經典及佛教文化相關之物，摩尼教、基督教相關的東西也混雜其中。十九世紀歐洲的力量顛覆全世界，研究及文化呈現蓬勃發展。另外也因印歐比較語言學的發展，使得漢文之外的突厥斯坦出土文書語言得以確認是印歐語系，歐洲人對中亞的興趣越來越高漲。

在這種情勢下，1905年，中亞探險國際委員會法國分部，萬中選一選出伯希和當作與各國對抗的人才，來擔任中亞探險隊的隊長。義和團事變時，他已經因其活躍和英勇獲頒法國榮譽軍團勳章，之後在河內遠東學院收集書籍的高成就，也可能是獲選的理由之一。伯希和當時已幾度出訪中國，中文已經相當完美，遠東學院的工作也讓他熟悉中亞是連結上述中國和印度的主要幹道一事，他正式研究中亞及由此處傳播的佛教研究的時機，也在此成熟。時機就此到來。他的內心想必十分亢奮。同行之人包括攝影技師夏爾．努埃特（Charles Nouette），以及擁有測量及製圖技術的軍醫路易．瓦揚（Louis Vaillant）兩位中學以來老友，花了將近一年的時間做足準備，1906年6月（伯希和28歲）從巴黎出發，經過莫斯科到奧倫堡、塔什干，再到費爾干納盆地的奧什，在這裡組成車隊，由俄國的哥薩克騎兵保護，跨越帕米爾高原，9月，進入東突厥斯坦的西關門喀什。他在這趟旅行中磨練俄語，熟練當地的土耳其方言，加上他如同母語般的中文，對之後的探險有極大的幫助。

喀什及庫車的伯希和隊伍活動，秋山光和〈伯希和調查團的中亞旅程及其考古學成果（上．下）〉裡有詳細記載，在此省略。主隊從庫車繼續東進，經過焉耆及吐魯番，10月到達新疆首都烏魯木齊。在此，他與受到義和團事變牽連貶謫的清朝大官深交，確認之前聽說敦煌發現謎樣般的文書藏庫是真的。他文獻史學的本能開始沸騰。於是他跨越天山回到吐魯番，直接略過這個遺跡、文物的寶庫勇往直前，經由哈密越過大戈壁沙漠，終於到達目的地敦煌，時為1908年2月。

敦煌文書

1908的3月，斯坦因從發現敦煌文書的王道士那邊買了相當份量的文書帶走，斯坦因本身並不懂漢文和土耳其文，也缺乏摩尼教、景教、維吾爾文字、西藏文等的知識。因此，擁有南北朝到唐宋代的中國，甚至是中亞的歷史、語言、文化的研究中有最高價值的文書，大多都還沉眠未解。伯希和用拿手的中文跟王道士交涉到最後，王道士才同意贈讓最小部分需要的書籍。他趁道士還沒回心轉意以前，把文書庫剩下的書籍全部掃過一遍，進行篩選。他蹲在狹小的洞穴中，依靠蠟燭的光，一步一步地處理沾滿塵埃的書，除了需要體力、眼力，有時候也會感到噁心，是相當艱困的工作。然而，他卻把常人要做半年以上工作在三個禮拜內完成。可見他如何專注到廢寢忘食，致力於這困難的工作。他之前累積的所有能力及學識，全都用在這裡，用盡全部的精力。最後，他預期的拿到的漢文、西藏文、維吾爾文、栗特文、于闐文、吐火羅文、梵文、希伯來文等的抄本及漢文印刷本，各種佛教繪畫、絹幡、刺繡等，全部到手。從他之後得到的名聲和之後的研究歷程來看，他身為東洋學者的人生全部濃縮到這三個禮拜了。

此份工作的過程馬上寫成詳細的報告書，3月26日寄給自己國家的中亞探險國際委員會法國分部長塞納（E. Senart）。收到這些的塞納歡天喜地，將摘要登錄在 *BEFEO* 的第八號，出發時還是默默無聞的伯希和瞬間聲名大噪，他在1909年10月，隔了三個多月凱旋歸國時，一躍成為學界和媒體的新寵兒。

敦煌之名被對東方的歷史、語言、文學、宗教、美術等有興趣的人知道，最大的功勞莫過於英國的斯坦因。然而學術上伯希和的功勞比斯坦因大。原因是現今收藏在巴黎國立圖書館伯希和的文書，比倫敦大英圖書館收藏斯坦因的書質量較高，敦煌千佛洞內部的構造和銘文的記載方面，也是伯希和比較突出。伯希和才去一次探險就可以取得如此大的成功，原因不外乎他探險以前就鑽研了不少中國的學問。

例如他在敦煌發現了世界孤本《慧超往五天竺國傳》。這本書是720年代新羅出生的佛僧慧超，經由東南亞島印度，環遊印度各地以後，經由犍陀羅、帕米爾等回到唐朝安西都護府統治的塔里木盆地的紀錄。本書早已散逸，只有在9世紀慧琳《一切經音義》裡頭，引用難懂的語句才被人知道。刊載在 *BEFEO* 送給塞納的報告，誰看了應該都會覺得，伯希和竟然可以在字典和參考文獻都沒有的敦煌洞穴中，就可看出首次看到的書籍是這本奇書，而震懾於他的慧眼及記憶力，並稱讚他的天才能力。我想應該沒有人會反對，他之前曾經在文章（*BEFEO* 4, 1904, PP.171, 220）中討論過他深入研究的東南亞史，在看到對應柬埔寨別名高棉的「閣蔑」及其他的術語時，也曾引用慧琳的紀錄，和《往五天竺國傳》的整體結構，都應該是他在洞穴時腦中描繪出來的事情。

伯希和也曾經提出，這個敦煌千佛洞中的文書庫入口被封口的時間大概是11世紀初期，和認為是蒙古時代的人有所爭執。伯希和的依據為以下兩點。調查的出土的漢文書中，最晚有日期紀錄的是11世紀初期，並集中在8～10世紀。在這個敦煌千佛洞雖然在1035年左右被西夏人佔領，11世紀後半完全納入西夏人的統治範圍中，在其他洞穴雖然有看到其他西夏文的文書，受到其文化的影響，但在這個洞穴裡卻一件也沒有。結果來看伯希和所說才是正確的，也可看出謹慎的他也有少見的勇敢。他推測，這個書庫的由來，是突然受到西夏民族入侵而慌張的僧侶，急急忙忙的把經典及寺院重要文書搬到這個洞穴，用牆壁塞滿，塗上壁畫，記得這個洞穴的人因亂死去，到1900年王道士偶然發現前完全被人遺忘。把敦煌文書當作寶物的這個故事，後來透過井上靖寫成小說而出名，學術內容上稍有錯誤。實際上這個書庫，是隨便收藏損壞的佛經及重複的抄寫經書、於公於私用過的文書，用舊的繪畫及絹幡等的舊書庫。然而這些全部東西，無論是多小的殘骸，都對現代的我們來說是相當貴重的寶物。

法蘭西公學院時代

能夠調查敦煌千佛洞及獲得敦煌文書，可說是他人生中最璀璨的成就，伯希和帶著這個成就回國，雖然也遭受一部分的中傷及嫉妒，但大多還是歡呼居多。1911年，法蘭西公學院在沙畹的漢學講座之外，又為了他開設中亞語言歷史考古學講座。此時，伯希和年僅33歲，中亞探險的五六年間，從新人一舉高升到大家的領域。開課演講題為〈擴及中亞和遠東的伊朗文化的影響〉，之後他的研究題目，都以課程名為中心，將蒙古學、土耳其學、西藏學等一一以學科獨立出來，再與印度學、伊朗學、佛教學等連結，形成真正的中亞學。此外，他仍持續在漢學的領域活躍，1927年開始在索邦大學開漢學的課程，恩師有沙畹、柯蒂埃，他和同樣在沙畹門下的馬伯樂、葛蘭言、戴密微等一起，創造接下來法國漢學的黃金時代。在漢籍文獻方面，成就高於恩師的文獻學者伯希和所接觸的領域包括古代到近代的歷史學、地理學、文獻學、文學、考古學、美術史、老子道德經的梵文翻譯的問題及關於白雲宗、白蓮宗、摩尼教的宗教史、影響馬伯樂及高本漢的漢字音韻學等，範圍極廣，他當上法蘭西公學院的支那講座的老師，應該也不足為奇。生前他也從事〈牟子理惑論〉、敦煌出土的〈尚書〉及摩尼經典、描述稻作及養蠶紡織的作業過程的研究等，遺稿則有大秦景教流行中國碑和中國木版印刷術的研究，各以單行本方式出版。

伯希和留下的眾多著書、論文中一貫流露出來的，便是把沒有人知道的事實首先發現出來的拓荒者精神。他既沒有想要特別新的歷史觀，也沒有野心想要架構新的歷史理論。他有的只是想完全闡明事情內部的強大意志及將其實現的超人能力。他清楚的頭腦和優秀的專注力，不凡的記憶力及語言能力，將埋藏在事情內部的事實挖掘出來動物般的卓越嗅覺，雖說是與生俱來，但也少不了他磨練這些能力時的體力和勤勉。他並未耽溺於自己的才能，每天晚上伏案至凌晨一點，製作分類卡和不同題目的筆記本，時常查閱並細心的增補、訂正，以便隨時可以引用。他對知識的好奇心及學術的熱情沒有界線，常常出國時也是精神抖擻，毫無遺漏的調查當地的圖書館，一天只睡六小時卻和外國學者討論事情也不會累。他完全是展示了做學問除了才能和謹慎之外，也需要體力的人。

說到平常生產的歷史著作中，在不招致誤會的前提下，應該分成理科歷史學、文科歷史學、歷史小說三大類。不管在哪個時代都成為「新歷史學」而風行的，大概是其中的文科歷史學。而伯希和的史學，往往要求實證，是誰都可以日後做實驗驗證的理科歷史學。闡明某一個歷史現象或語言現象，首先要毫無遺漏的收集相關的資料。接著如果有文獻資料，不管是什麼語言都得先解讀，從一字一字的解釋中找出證據，若是歷史文物的話，就從各種角度徹底分析。再把經過這樣闡明後的事實，與已經很明白的事實結合，繼續研究新的事實。其中他也不輕易的妥協或推論，也沒有大膽的推測。另外，他的健康的心理也使得他很懂得判斷難解的問題，從頭到尾避免提出詭異的說法。因此他的論著大多沒有隨著時間的流逝減少價值，至今仍光彩璀璨。

然而，也不能因此就說他工作的範圍很狹小。例如，以前西方人對蒙古的偏見及低估，現在逐漸被推翻，而提供先機的便是伯希和。他發表保存在梵蒂岡的貴由汗送給教皇諾森四世的信（開頭為土耳其語、內文為波斯語、印章為蒙古語），往來於代表教皇廳的西歐基督教世界及蒙古皇帝代表的亞洲世界之間的方濟各會的傳教士伯朗嘉賓及魯布魯克的旅行記、還有馬可波羅的《東方見聞錄》、以及景教派的僧侶拉班索馬籍加上他之後成為景教法王馬魯亞波來哈三世的馬克思的傳記等等研究，透過具體且實證的譯註，將蒙古才是促使真世界史登場的原動力一「事實」完整呈現。

談論伯希和時，除了他的天才以外，也不得不談他不屈不撓的鬥志。義和團事變的英勇以外，從中亞凱旋歸國之時，他被各方懷疑敦煌文書的真實性等受到毀謗中傷時，他也並未反擊。晚年第二次世界大戰德軍進駐巴黎時，文化及學界開始有所動搖，但他絲毫不為所動，持續貫徹反納粹的姿態，這些都可看出他的堅持。然而他也這種激烈的性情，容易跟別人起衝突。尤其是別人隨便發表論文或學說時，他的言論往往很辛辣，公開的學會及演講席上，也完全不顧別人的立場，收斂他的嘴巴。他常常被說過於不謙虛或自我為中心，就是因為這樣。相反的，他也因此不分上下待人，年輕學者及留學生的稿也願意看，不吝於指導。

成為法國東洋學界的首領後，伯希和於1921年當上學士院會員，1935年至1945年擔任亞洲學會會長的重任，同時於1925年代替柯蒂埃當上《通報》的編輯長，可說是多方活躍的人物。期間，法蘭西公學院及索邦大學的課程上，法國以外的世界各國學者雲集，學習伯希和史學的精髓。之後又經由這些人，將伯希和史學在世界中發揚光大。

參考文獻

Bulletin de l'Ecole Français d'Extreme-Orient《法國遠東學院紀要》1, 1901-1910, 1910

M. Lalou, "Rétrospective: L'oeuvre du Professeur Paul Peillot"（回顧：伯希和教授的功績）*Bibliographie Bouddhique* 4/5, 1934, pp.1-29

Société Asiatique （亞洲協會），*Paul Peillot*（保羅・伯希和）Paris, 1946, 80 pp., +1 pl.

J.J.L. Duyvendak, “Paul Peillot”（保羅・伯希和）, *T'uong Pao* 38-1, 1947, pp.1-15, +1 pl.

R. des Rotours, “Paul Peillot”（保羅・伯希和）*Monumenta Serica* 12, 1947. pp.266-276

Bibliothèque Nationale（國立圖書館）,Trésors de Chine et de Haute *Asie. Centième anniversaire de Paul Peillot*《中國與高地亞洲的寶物──伯希和誕辰百年紀念》Paris 1979, xx+113 pp.,many pls.

石田幹之助〈支那學者伯希和〉《石田幹之助著作集》4，東京，1986, pp.305-310.（原載：《蛇號》）昭和7年6月號）

梅原末治〈西域探險的學者們（2）──追憶伯希和教授──〉《智慧》2-6, 1947, pp.56-64

梅原末治〈西域探險的學者們（3）──追憶伯希和教授續──〉《智慧》3-4, 1948, pp.57-64

秋山光和〈伯希和調查團的中亞旅程及考古學成果（上・下）〉《佛教藝術》19，1953，pp.82-96,+5 pls.;20, 1953, pp.56-70

羽田　亨〈伯希和（Peillot）的中亞旅行──敦煌石室遺書發現的經過──〉,《羽田博士史學論文集》下卷，京都1958，pp.553-540

羽田　亨〈我國東方學及伯希和教授〉同上，pp.628-641

保羅・戴密微：大橋保夫、川勝義雄、興膳宏（譯）〈法國的漢學研究歷史展望〉（上・下）《東方學》33，1967, pp.147-128; 34, 1967, pp.134-96（頁碼相反）

森安孝夫〈伊斯蘭化以前的中亞史研究現況〉,《史學雜誌》89-10，1980，pp.50-71。

榎　一雄〈中亞旅行記（15）（16）〉,《日本古書通信》448,1981, pp.12-13;449, 1981, p.12（再收：《榎一雄著作集》2，汲古書院，東京1992，pp.393-398）

彼得・霍普柯克：小江慶雄、小林茂（譯）《絲路發掘秘話》時事通信社，東京，1981

瓦西里·米哈伊洛維奇·阿列克謝耶夫

（Vasilii Mikhairovich Alekseev, 1881-1951）

加藤九祚

生平

被譽為現代俄國、舊蘇聯中，首先系統性研究中國的鼻祖——阿列克謝耶夫，於1881年1月2日（新曆14日）彼得堡的貧民街出生了。根據他在1918年擔任彼得堡大學助教時所寫的未完自傳，他的雙親並未正式結婚，一輩子同居，其間生了十一個小孩，但最後活下來的只有阿列克謝耶夫和他的弟弟。阿列克謝耶夫在自傳中沒有寫到自己的父親有沒有上過學，只提到至少自己的母親沒上過學看不懂字。小時候，「我的教育非常可怕。我從一個讓我窒息的小房間，被趕到房間的角落，最後被趕出去，一整天都在玩（彼得堡的四五樓磚瓦住宅一般蓋成ㄇ字型，開口的地方是入口，中間是庭院，彼得堡的街道上少有木造建築）。家裡總是充滿眼淚、毆打、威脅、酒醉、放蕩。」

對年幼的阿列克謝耶夫來說最大的樂趣，就是漫長寒冬，和鄰居一起聚集在火爐的旁邊聽八卦、民間故事、民歌了（窮人住的房子中，火爐會擺一個在中央的大房間裡，旁邊才是貧民的房間）。加入少年聖歌團唱聖歌也是另一個期待的事情。

阿列克謝耶夫的父親固然赤貧，還是讓兒子去唸中學，這在當時並非義務教育，所以貧民通常都會把自己小孩送到某家店裡當店員，讓他們從事某些工作。阿列克謝耶夫的父親雖然只是一個貧窮的醉漢，但把教育這個最好的財產留給了兒子。1829年阿列克謝耶夫11歲的時候父親死亡，剩下的母親在瀕臨絕望之際，仍讓兒子繼續完成學業。

升上四年級，經由學校的安排，阿列克謝耶夫以公費生的身份轉學到克隆施塔特中學，並住在宿舍，這也成為阿列克謝耶夫生涯的一大轉機。從充滿低俗語言的貧民窟轉移到高級且完全不同的世界，年少的阿列克謝耶夫即使到了暑假，也幾乎沒有回去母親的老家，繼續住在宿舍，他曾說「我夏天不想要回到充滿臭氣的老家，讓母親苦惱。」

阿列克謝耶夫的成績都很好，雖然因為科目稍為不同。1989年他從中學畢業，再同樣以公費生進入彼得堡大學東方學院中國、蒙古學系。他說這個是抽籤決定的。

彼得堡大學東洋學部

1819創立的彼得堡大學與莫斯科大學一樣，都是俄國斯帝國的最高學府，具有相當大的權威。這所大學於1854年設立東亞語言學院，並以此為基礎，發展出世界級的俄國東洋學。中國語言學系的首任系主任是瓦西里・瓦西里耶夫（Vasilii Pavlovich Vasil'ev, 1818-1900）。此人在1837年畢業於喀山大學中文系，1804年以俄國東正教北京傳道團的一員去中國留學，其間學習了梵文、中文、蒙文、藏文、滿文等語言。1851年成為喀山大學的教授，1855年開始為彼得堡大學的教授，講授中國史、中國宗教、地理、文學。主要著書有《佛教及其教義、歷史、文獻》（1857～1869年），後來被翻成法德文。他還發表過《十～十三世紀東部中亞的歷史和遺物》（1857年），《東亞的宗教：

儒教、佛教、道教》（1873年）、《分析漢字》（1866～1884年）、《中國文學史概說》（1880年）等，對俄國漢學的發展有極大貢獻。

瓦西里耶夫於1888年把教授職位讓給弟子吉爾魯基艾夫斯基（Sergei Mikhailov Georgievskii, 1851-1893），自己則任職到1900年1月。阿列克謝耶夫在學期間，正是瓦西里耶夫的晚年，且瓦西里耶夫剛失去兒子，心情相當失落，幾乎沒辦法授課。加上曾經於阿列克謝耶夫在學期間關心過阿列克謝耶夫的蒙古語教授波茲涅夫（Alekser Matrveevich Pozdneev, 1851-1920），於1899年轉往海參威新創立的遠東大學首任校長，中國語的教授伊凡諾夫斯基（Aleksei Osipovich Ivanovskii, 1863-1903）又不時精神狀況異常，阿列克謝耶夫只能透過反覆閱讀理雅各（James Legge, 1815-1895）的名作《中國經書》（The *Chinese Classics, with a translation, critical and exegetical notes, prolegomena and copious indices,* 八書五卷，香港，1861-1872），才熟悉了英語和中文兩個語言。

文學博士的考試委員是波波夫（Pavel Stepanovich Popov, 1842-1913）。波波夫曾經是出使中國的外交官，曾編纂《俄中辭典》，介紹孟子。另外也翻譯《蒙古遊牧記》（1895年）的俄文版。他於1902年成為彼得堡大學專任講師，阿列克謝耶夫對他如此描述。「這個老翻譯履行教授的職位完全是陰錯陽差，實際上依我看，這個考試對我或對考試委員，都沒辦法證明什麼。」

在這個時候，阿列克謝耶夫已經明確意識到自己一生將走上漢學之路。他於是透過當時在俄國東洋學界有極大號召力的印度學者奧立登布魯克（Sergei Fedorovich Ol'denburg, 1863-1934）、阿拉伯學的羅善（Viktor Romanovich Rozen, 1824-1908）的推薦，以訪問學人的身份前往歐洲留學。

留學歐洲和中國

阿列克謝耶夫的歐洲之行於1902年8月確立，1904年首先拜訪倫敦的大英博物館。在此他看了中國的收藏品，深受感觸，開始往金石學和美術品研究。又開始閱讀泰勒和弗雷澤的著作，興趣往民族、民族學的領域擴張。另外，他又接受在英國本來是醫生，1864至1899年待在北京三十多年，收集並研究中國瓷器的卜笙禮（Stephen Wootton Bushell, 1884-1908）的指導。1904～1905年間，前往巴黎的法蘭西公學院四個月，旁聽著名的漢學家沙畹的《史記》課程。當時沙畹誇獎阿列克謝耶夫 Ce qui est beau en vous, c'est l'enthousiame.（你最優秀的是你對學術的熱誠）。之後阿列克謝耶夫便對沙畹極度仰慕，沙畹死後，他寫了長篇的追悼文。

阿列克謝耶夫1906～1909整整三年間在中國留學。其中從1907年5月16日的四個半月間和沙畹的北中國調查旅行發掘新石器時代的墓，並收集了書籍、民族學資料，特別是年畫。往後他依據這些資料，發表證明年畫中儒教、佛教、道教三教一體的論文。另外他還雇用熟悉中國古典的老師，致力研究古典，特別是唐詩。同時，他也開始研究北京方言的音韻規則。第三年他翻譯唐末傑出詩人司空圖的《二十四詩品》，並撰寫分析研究的論文。阿列克謝耶夫一貫的研究方法往往是自行翻譯文本，以此為本進行研究。這篇論文以碩士論文的形式在1916年向彼得堡大學提出。

大學的講台上

阿列克謝耶夫在1910年以後於彼得堡大學擔任中國與中國文學的老師，培養許多優秀的漢學學者。他課程的主題是道教、儒教相關的文本及批判的解說、以《史記》、《詩經》、李白和司空圖為首的唐詩、歐陽脩和蘇洵的作品、《聊齋誌異》等各式各樣。另外他也開始進行和歐洲經典的比較文學研究，代表論文如〈羅馬人賀拉斯與中國人陸機的詩論〉(1944年)。雖然他發表的很多的論文，但主要的論文都是死後才以單行本的形式刊行。《中國古典散文》(1958年)、《於古代中國》(1958年)、《中國的年畫》(1966年)。

考古學方面，阿列克謝耶夫也於1910年參加探險家克茲洛夫(Petre Kuz'mich Kozlov, 1853-1935)發掘西夏古城黑水城的出土品研究，貢獻良多。1912年因彼得堡人類學、民族學博物館收集標本，前往中國東南部。1923年，發表和柯茲洛夫發掘諾彥烏拉墓地有關的中國和北方各民族的文化關係的論文。

阿列克謝耶夫於1918年成為彼得格勒大學的正教授，1923年蘇聯科學學院通信會員，1929年成為正會員。

對東洋學的看法

阿列克謝耶夫提倡東洋學等同西洋文化等的學問，他認為「宗教史、哲學史等，都不能沒有東洋學。沒有東洋學也無法建構世界文學史，甚至是全人類的科學史、藝術史。因為東亞人的體驗有時甚至比西方人的體驗更多、更深」。阿列克謝耶夫這裡所謂的東洋學基本上等於漢學。

另外他不認為漢學是文書的學問，而是整體的文化史，要理解現代中國不可缺少這種文化史的知識。他認為傳統中國文化的特徵是「包容性的儒教複合體深入佛教，兩者的結晶不僅中國的生活，連文學也被滋潤。而沒有道教文化的話，儒教也不過是沒生命的學究主義而已」。阿列克謝耶夫雖然也認同許多學者沒有踏入研究的土地就可以做出優秀的研究，但也覺得有必要待在當地兩年左右。他認為不管是什麼領域，不了解該地區的語言，便很難進行該地的學術研究。他曾經公開反對授與學位給不懂中文的中國經濟學家。「語言不只是聲音和詞彙的作用，還是概念和文化交織而成的作用……因此東方學首先便是語言學。沒有依據科學的基礎研究文本，就還不該做出任何的結論。」理解艱難的文本需要很多時間。因此，「漢學家需要時間才會成熟。40歲的漢學家也不一定成熟。」

阿列克謝耶夫認為中國文學的散文的思想多為儒教的，詩的思想則多是道教的，曾說「詩是中國文學最豐富的部分」。也曾說「不研究道教就不能研究漢學」。

當老師後的阿列克謝耶夫

阿列克謝耶夫於俄羅斯帝國時代接受學者的教育，主要活躍的時期則是進入蘇聯時代以後。俄國革命爆發的1917年，他才36歲。這個革命對當時的知識份子有多震撼，以及1930年的史達林大清洗、第二次世界大戰有多艱苦，現在已經廣為人知。阿列克謝耶夫是歷經三十年動亂絕後逢生的學者。出生在貧窮的家庭的經歷，似乎也沒有強化他適應革命的能力。他能夠在大清洗中存活下來，某些程度也可說是奇蹟。這樣說是因為多數他伸出援手相救的優秀子弟，最後都還是被烙印上「人民公敵」，而消失在刑場。

首先是和日本十分有關係的東洋學者涅夫斯基（Nikolai Aleksandrovich Nevskii, 1892-1937）。阿列克謝耶夫於俄國革命爆發的1917年11月，曾寫信給涅夫斯基如下的信。「我昨天收到你10月8日寄的信，你應該也可以想見我有多高興。我把你看成你們之中最好的學生，你是我的學生中最優秀的。……你身上燃燒著對學問的熱情和光明。未來是你的東西。你的能力是能結合體力和知識少見的愛，並且閃耀著無私且誠實，年輕閃耀的色彩。艾莉瑟夫（Sergei Grigor'evich Eliseev, 1889-1975）説，日本學者對你也有很高的評價，這是理所當然的。沒有不稱讚你的理由。然而我也希望你別忘記我的忠告，那就是要尋找比你自己更優秀的『學友』。不能跟自己同樣程度，在這方面要相當自我中心。」

就這樣，他建議涅夫斯基就算行乞也要留在日本讀書，現在的動亂的俄國不適合回去。之後1928年阿列克謝耶夫排除各種困難，把柯茲洛夫發掘的西夏文字照片送給日本的涅夫斯基。之後1929年，涅夫斯基回俄國時，又提供自家的一部分照片，帶著長篇的推薦書向科學學院的通信會員推薦。1937年10月3日夜半涅夫斯基遭到逮捕，送行的阿列克謝耶夫夫妻，對著涅夫斯基的日本夫人伊蘇、和女兒涅利喊道「我愛的人，再見」。這便是此生的道別。幾日後伊蘇也被逮捕，11月24日兩人都被槍決。光這一天就有九個東洋學者被處決。阿列克謝耶夫在10月7日的日記寫下如下的文章，「事情逐漸發展到最後結局的驚嚇後，工作什麼也都無法進行了」。當時是連一行日記都有可能成為奪命的時代。其他的學生修茲斯基（Yulian Konstantinovich Shutskii, 1897-1938）曾寫過優秀的《易經》研究論文。阿列克謝耶夫在發表會的坐席上評說「我的人生首次進行了進步的聖典。老師全程被學生指導。」但這個修茲斯基也被逮捕，1938年遭槍決。

阿列克謝耶夫是俄帝國時期瓦西里耶夫後最重要的漢學家，也是優秀的老師，無論學問的深度和廣度都相當傑出。翻譯行雲流水且正確是他常有的評價。而更重要的，是他把學生當作自己的朋友，不顧危險為學生盡力，這也是在蘇聯解體後，名譽逐漸變高的原因。

亨利・馬伯樂
（Henri Maspero, 1883-1945）

福井文雅

使近代漢學在歐美確立和現代的連結的，是法國的沙畹（Chavannes），其子弟中以下的四人特別出類拔萃。葛蘭言（Garnet）、伯希和（Pelliot）、馬伯樂、戴密微（Demiéville）。不可思議的是，其中的前三人幾乎是同時去世。其中伯希和跟馬伯樂死於同年（1945年，昭和20年）。

然而，馬伯樂死於62歲。他為了營救參與反抗活動的愛子被捕，戰爭結束當前就死於德國的收容所。與其他三人相比，可說是相當早逝。雖然談歷史不可談「如果」，但如果馬伯樂和盟友戴密微活得一樣長，多待在這個世上20年的話，法國，或者說是世界的漢學，勢必會跟現在呈現不同的樣貌。馬伯樂的死和戰前的法國許多東洋學大師去世後，承接馬伯樂課程的戴密微（1894-1979，晚年為日本學士院會員）便一人擔下了這些榮光。

馬伯樂工作做到一半去世，因此生前發表的書只有 *La Chine antique*（1927）《古代中國》一本，但作者心中應該一直有計畫要出續編。在日本，川勝義雄負責的京都大學研究組共同翻譯《道教》（原題：*Le Taoïsme*，1950年，平凡社〈東洋文庫329〉）相當有名，不過如同〈序文〉所述，實際上這些作品比較像是負責整理馬伯樂死後留下龐大的未出版原稿的戴密微共著的。

馬伯樂的業績很少著成書，但是論文或演講的作品非常多。

偉大的漢學家，一般都有涉及多個中國領域的淵博知識。

我們來看看連載於《東洋史研究》創刊號（1932）至六號（2號除外）的〈近五十年來中國學界的回顧〉（內藤耕次郎、戊申共譯）的目錄，如下列。

前言　一、古代—文學、社會與宗教　二、漢後的中國史資料　三、漢至蒙古入侵其間的中國帝國—文學、社會與宗教　四、蒙古帝國和元朝　五、近代和現代中國—文學、社會與宗教（回教、基督教）　六、中國美術

馬伯樂在昭和三～四年（1928～1929年）間待在日本，期間在京都大學的演講內容如上。《東洋史研究》之外，昭和十年（1935年）度的《東亞經濟研究》第19卷4號刊載〈古代中國的霸業〉，昭和11年2月20卷1號刊載〈戰國（古代中國四編一、二章）〉，同年五月刊載2號〈勝利的秦國（古代中國四編一章、二章）〉（以上為白山章，西山榮久共譯），甚至可看到甲午戰爭時日本參謀本部的官方報告。

馬伯樂於戰前和日本（特別是京都）的專家多有交情，一時廣為人知卻不幸的早死，且戰後混亂之際，我認為馬伯樂的研究成果只有少部分傳到現在的日本。因此在此，我將重新回顧馬伯樂劃時代的成就。

印度佛教傳入中國的時期

印度佛教傳入北中國的「官傳時期」，在日本和中國大都定為永平十年（西元後67年）。這年代一般都是基於後漢明帝夢見金人而派遣使者的傳說，所謂「靈夢遣使」或「明帝感夢求法說」。馬伯樂對永平十年的年代感到懷疑，並撰寫發表長篇論文 Le songe et l'ambassade de l'emperur ming *BEFEO* 10，1910，頁95-130）、〈明帝之夢和遣

使〉（法國極東學院紀要10），認證只不過是西元二世紀洛陽佛教團編造的虛構傳說，而此傳說認為是由道教介入佛教才傳入等。

時值馬伯樂弱冠27歲，明治43年（1910年）。

至今，馬伯樂的說法已成為常識（細微處仍有不同的說法），但從當時的中國佛教研究水平來看，這個新說法有多震撼，可想而知。

首先在近代日本誕生（現在仍值得一看的）有學術價值的中國佛教史，首屈一指應該是《中國佛教史談話》。原型是明治40年（1907）出版的《中國佛教史綱》，在關東大地震後絕版，昭和二年（1927年）重寫後又出版《中國佛教史談話》，上卷的自序中作者境野自己寫道——

（寫這本書時的日本）對中國歷史的研究可說是一片黑。

也就是中國佛教史的研究，在當時的日本還是草創期。梵文的研究，雖然歐洲至少比日本進步50年，也有不少從日本去法國、英國留學的佛教徒，但使用漢譯佛經的研究，歐洲和日本一樣，都還在草創期。

在這種環境下，一個法國人，只有年紀輕輕的27歲，發表顛覆傳統漢譯佛教史的學界定論的論文——這個事實也可看出馬伯樂的早熟和天賦，現今仍不得不感歎。

日本也有藤田豐八、常盤大定、松本文三郎等傑出學者，但論述到印度佛教傳入中國的時間等傳播問題，則是15年後的事情。中國湯用彤在名著《漢魏晉南北朝佛教史》的詳細討論，也要在1938年（昭和13年）。且以上的結論或多或少都跟馬伯樂的看法相同。也就是其他人大多只是更詳細的描述，學界最重要的「最新的發想」、「想法的先後」，也就是「先發權」、「特權」仍然是在馬伯樂這一邊。

然而馬伯樂的早熟、天賦，也不得不考慮在其背後有長年法國東洋學的傳統、學問的累積。主張「中國的科學研究始於18世紀」，也是法國耶穌會會士。來中國的法國耶穌會會士都是國王御用的數名學者。因此，沙畹（《sinologie》，1915年，2卷）曾說「（他們並不是單純的傳教士），他們是跟笛卡兒一樣可以有縝密反應的素有訓練的學者」。法國的東洋學就是由這些傳教士的研究開始誕生的。

值得一提一提的是，日本大谷勝真曾以〈亨利・馬伯樂：明帝靈夢淺是傳說考〉（《東方學報》1-2）為題，日譯馬伯樂的論文，早早於明治44年5月介紹到日本。若無這個介紹，日本的學界便無法和西洋同時間知道馬伯樂的優秀成果。明治時代，能了解海外事情學者，從現在來看意外的有不少。大谷氏以外也有許多的例子。

調查中國社會和宗教的習俗

二次大戰前，法國以越南為中心，對東南亞三國進行殖民，法國年輕的亞洲研究員也常常長期待在東南亞三國的某一國，進行和中國的「比較研究」。馬伯樂便是其中一人。1908年至1920年間，在東南亞從事民間信仰的研究，發表許多論文。

前述〈明帝之夢和遣使〉便是這時期的作品。

中文的音韻研究

馬伯樂也利用在東南亞的期間比較研究東南亞語言，1912年發表 Etudes sur la phonétiquehistorique de la annamite, *BEFEO*, 法國遠東學院學刊 XII，〈安南語音韻史研究〉。漢語的音韻研究有瑞典著名的高本漢 bernhqrd karlgren，根據戴密微的說法「馬伯樂在高本漢之前開拓了研究之路」。

道教研究

道教是中國三大宗教之一，常被近代中國認為是大眾相關的「迷信」，並未成為知識份子的研究對象，從日本來的中國學生雖然關注其和佛教史的關係，但仍然是輔助型的研究領域，並未將道教視為一個宗教，也少有人把道教視為一個獨立的研究對象。

道教到了十八世紀的法國已受到注目，但馬伯樂仍是首位試圖進行系統性研究的學者。「最近才又再度出版《道藏》，《道教》的著作通常年代都不大清楚。很少有關於道教的教義和禮儀的研究，基礎的書籍也很少被研究」，從這段他在日本演講的主題來看，他早已把道教研究當作志向。

道教經典的集大成為《道藏》的明版（今日可見所謂《正統道藏》），於1924～1926再版，馬伯樂對道教的關注自然早於此。Etudes sur le taoïsme，法蘭西東方學協會通報，no.3，巴黎，〈道教研究〉，馬伯樂從這篇論文開始獨自研究《道藏》，遂於1937年發表道教的專論 Journal Asiatique de《nourir le principe vital》dans la religion taoiste ancienne, *Journal Asiatique* CCXXIX，〈古代道教的養生法〉。此論文被收錄在馬伯樂道教相關的論文集 *le taoïsme et les religions chinoises*（nrf. Gallimard, 1971），康德謨編《道教與中國宗教》，日譯版有《道教養生術》（持田李末子，せりか書房，1983年）的單篇論文。

還有其他戴密微編輯的遺稿 les religions chinoises《中國的宗教》和 etudes hitoriques《歷史研究》（兩者都是 civilizations du sud, Paris, 1950）、戴密微集合白樂日（etiennebalazs，匈牙利出生，馬伯樂和戴密微的弟子，以中國社會經濟史研究和推廣宋代課題聞名世界）教授的論文數篇一起出版的 *Histoire et Institutions de la Chine ancienne*（presses universitaires de France, Paris, 1967）《古代中國歷史和制度》中，可看到馬伯樂多樣的研究。

如上述，馬伯樂在東方學的研究相當豐富，而在此想稍微提一下和日本的關係，因為馬伯樂應該是首位關注到日本研究者的成果的歐洲學者。他曾說「歐洲的漢學家最多人使用的並非斷代史，而是《通鑑綱目》，此書作為理解中國歷史整體基礎來說相當有幫助」，目錄學的入門書雖有張之洞的《書目答問》，但他同時也推薦日本桂湖村的《漢籍解題》。關於佛教和美術史的問題，他說「日本學者的著作最為重要，不能等閒視之。」(《近五十年來中國學界的回顧》三)，《佛教大詞彙》，織田得能《佛教大辭典》等，不問僧俗，相當注意日本學者的佛教研究。他也關注其他如小川琢治、內藤湖南、飯島忠夫、加藤繁、岡崎丈夫、南條文雄、姉崎正治、大村西崖、橋本增吉、小島祐馬等的研究。

參考文獻

秋月觀瑛主編《道教研究入門》，平河出版社，1986年
野口鐵郎及其他編著《道教辭典》，平河出版社，1994年
福井文雅《歐美東洋學和比較論》，隆文館，1991年
同上《中國思想研究與現代》，隆文館，1991年

馬賽勒・葛蘭言
（Marcel Granet, 1884-1940）

桐本東太

簡單的經歷——著述的前提

要在此介紹葛蘭言，並不是適合很多的篇幅敘述他的經歷。然而學者的研究成果往往可跟該人物經歷過的時代和人生相對照，或許還是有稍微提及的必要。

葛蘭言生於1884年，1904年進入法國高等師範學院，在此他首先遇見大師圖爾幹，最終使他成為一個圖爾幹信徒，建構他研究的主體，然而吸引他前往中國的，卻是沙畹。經過沙畹的薰陶，葛蘭言傾心於漢學，於是於1911年至1913年至北京留學。之後，不得不暫時去服兵役，但他還是於1920年提出博士論文，一直到56歲驟逝之前，都一直過著學者的生活，培育眾多子弟，也持續發表許多令人注目的論文。他所培育的漢學子弟，可以以法國人羅爾夫・史爾坦為代表，亞洲人的話，有日本的松本信廣、中國的楊堃、凌純聲等。

著述——《中國古代的祭禮與歌謠》

葛蘭言並非多產的學者，想要舉出他一生中發表的作品，可能也只有以下的幾個。

1. *Fêtes et chansons anciennes de la chine*（《中國古代的祭禮和歌謠》1919年）
2. *La polygynie sororale et le sororat dans la Chine féodale*（《封建制度下中國的媵婚》1920年）
3. *La religion des chinois*（《中國人的宗教》1922年）
4. *Danses et légendes de la Chine ancienne*（《中國古代的舞蹈和傳說》1926年）
5. *La civilization chinoise*（《中國文明》1929年）
6. *La pensée chinoise*（《中國思想》1934年）
7. *Catégories matrimoniales et relations de proximité dans la Chine ancienne*（《中國古代婚姻的範疇——和近親關係》）

聽說葛蘭言寫這些作品時廣羅很多古籍，其中他最愛的是《詩經》和《左傳》。這也可以從旁證明，在他「古代學」中佔有主要地位，且敘述大放異采的是先秦時代，漢代以後的時代，在葛蘭言的研究中並不佔有重要的角色。松本信廣雖然繼承葛蘭言大半的學風，但談到比較同時期的學者馬伯樂時，也有耳語說他給馬伯樂比較高的評價。理由之一或許在於，發揮葛蘭言精髓的「古代」的時間，過於狹短。

這裡我們直接使用簡單的方法，直接從他喜愛讀書一事直接跳到幾個他的代表性研究，這裡最值得一提的便是《中國古代的祭禮和歌謠》。接下來我們將簡單介紹書的內容，接著針對葛蘭言展開的論述，不限於該書，進行若干的批評。但受限於紙張篇幅，在此我只能先說我的批評僅止於相當表面。如果想要更詳細的了解對《中國古代的祭禮和歌謠》的批評和賞析，我建議參考松本雅明一系列的論文（〈聖地和祭禮〉、〈競爭和婚姻聯盟〉、〈中國古代的山川歌謠〉等）。

《詩經》如同大家所知，是和《書經》並列中國最老的古籍，由〈國風〉、〈雅〉、〈頌〉三部構成。葛蘭言討論的重點，集中在收錄於

〈國風〉的歌謠，歷來儒者也常以高度的道德觀點解釋這部分。更別提儒家的言行，長年至今已對《詩經》每一篇都累積了龐大的註釋，但葛蘭言卻基本上不大尊重這些看法。直接的說，他其實就是完全忽略大部份的這些說法。這種態度來解讀中國古籍的方法，時至今日也只能說是隨便。半世紀前此書剛付梓時，任教於東大東洋史的和田清曾經斷然批評說「這樣的東西根本稱不上研究」，在這層意義上來看也可說是必然的結果。

然而研究走到哥白尼式的轉變時，需要某種大膽也是不爭的事實。葛蘭言採取這種莽撞可是一點都不遲疑。以往的解讀認為，國風的詩是道德教訓的濃縮，卻重新以新的樣貌浮現，成為年輕男女間互相交換的情歌。葛蘭言猜想，歌頌此情歌的場所便是春秋之間舉行的歌祭，主張這種祭禮可以幫助農民一年生活順利。根據他想像，當時農民到了冬季就會回村落隱居，春至秋天則散區在田野，反覆這兩種的生活面貌，經年累月持續著。而這種生活樣貌變化的春秋之際，會舉行包括男女歌祭等大規模的祭禮，並舉行盛大的贈與的獻禮和揮霍金錢。有時候，相互分隔的男女及各村落的結合，也是可以想見的。葛蘭言把歌祭看成一種男女間的競爭，認為祭禮時「競爭」的要素占有非常重要的地位，像代表性的祭祀場所河川，就會舉行小船的比賽，丘陵地則會舉行摘花的比賽等。

前面已經提到。葛蘭言描繪出來的這種村莊情景，完全是和圖爾幹理論套用古代中國的大膽嘗試。並且不只如此，《中國古代的祭禮和歌謠》的寫作背後，可以想見還有稍微複雜的學術歷史背景。首先第一，此書中葛蘭言自己舉了一個支持的旁證，引述中國西南部少數民族間舉行的歌祭時，男女間也會互相歌頌的大量情歌。我對於當時葛蘭言所處的法國漢學的情況，無法置喙，不過他把當時中國民俗的例子巧妙的納入研究的一部分，比起說透過葛蘭言同事帶回母國的資訊，或許更該說是他自己在中國留學時所體驗的成果。中野美代子曾經說過西歐漢學家的強項「在當下思考」是他們思考中一貫的具有的特點，我們或許也可以承認葛蘭言的心中有這樣的思考方式。

接著我們針對葛蘭言對村落共同祭祀提出的「贈與」和「揮霍」，前者很明顯受到他最親的友人牟斯《贈與論》的影響，後者則是當時法國社會學家瘋狂關心的民族誌學重要事實，也就是住在北美的印第安夸夸嘉夸族的「誇富宴」，當時必定存在在葛蘭言的腦裡。這樣看來，如果說葛蘭言的著作蘊含和巴代伊的《情色論》交集的元素，應該也不為過（然而「誇富宴」的情況，和巴代伊所思考的「情景」仍有相當的偏離，至今已有人指出，這跟本文的主題沒有直接關係，因此在此不討論）。

其他的著作和思想

葛蘭言的理論或民族誌學的背景，十分多元，也可展示他做學問的範圍相當廣，令人嘉許。然而反過來說，葛蘭言或許也過度利用這樣的背境，恣意的評斷中國古代史了。這裡或許可以開始批評葛蘭言，但在批評之前，我們再稍微看看他做學問的情況。葛蘭言一生都相當關注的主題，可以簡單歸納成幾個關鍵字，其中之一莫過於眾所皆知的「神話」。無獨有偶，松本信廣也在介紹恩師的文章中描述如下。

「據（葛蘭言）所說，相較於研究神話時比較語言相似的民族之間的神話，研究不同人種但氣候相同的民族的神話、習俗、儀式，反而更有必要。這是因爲神話與儀式有相當緊密的關係，和當地的季節祭有不可分割的關係，而這個季節祭也往往被當地的風土、氣候影響」(《古代文化論》)。

這便如實呈現了葛蘭言腦中所思考的東西，也就是《中國古代祭禮和歌謠》的主題，「季節祭」，和「禮儀」及「神話」之間的緊密關係。理解了這種背景，就會覺得葛蘭言把天上十個太陽射落的后羿神話解釋成在「季節祭」進行的弓箭比賽，也是十分自然的了。

這種討論「季節祭」的「比賽完全是葛蘭言一個人的舞台，但也曝露出他使用史料的天真。例如他在《中國文明》說明，在「春分」之日，簡狄這位女性透過「比賽」贏得燕子掉落的蛋，並把蛋吞下而懷孕，最後誕生了殷的始祖。然而葛蘭言提出這種說法的根據，卻是成書年代和撰寫年代都完全不同的《史記》和《竹書紀年》二書。不僅如此，他把兩者的記述並列，然後得出一個結論，卻不覺得有什麼奇怪的。這種格蘭言稍微輕率的態度，的確從他提出的「春分」進行的「比賽」的說法上，奪走不少說服力。

這種批評可適用於葛蘭言中國古代學的所有研究，也就是對文獻學史料的解讀過於淺薄，早已是日常的批評，這種批評同時也集中到葛蘭言的另一個關注焦點——整體文明的「中國古代」，讓人猜想他大概在其中也沒有縝密的分析。這種猜測，也可以從他對考古學的研究成果相當冷淡的正確批評中，得到支持。因為考古學的言基礎正是「編年」，一旦套用上絕對的時間以後，「古代」就會無限的細分為許多碎片（葛蘭言對當時剛發現的考古文字幾乎沒有任何關注，可能也值得一提）。

如上所述葛蘭言的態度，在例如使用諸子百家的著述時，與其留意孔子或莊子各個哲學家的思想不同，他更往這些古代人所共有且整體的中國古代文化情形，進行研究。

我們可從《中國古代的舞蹈和傳說》舉一個例子。他在《莊子》秋水篇留有以下的寓言。

有一次，夔對蜈蚣說。「我一隻腳只能一跛一跛的走路，走不好。你會用這麼多腳走路，到底是怎麼回事」（下略）

另外《呂氏春秋》的察傳篇，藉由孔子記述大略如下以下的逸文。

魯哀公問孔子。「管理音樂的長官夔只用一隻腳是真的吧！」孔子回答，「以前舜曾明言音樂才是天地的精華。夔調和音樂，為世界帶來和平。因此才說『像夔這樣的人物只需要一個人就足矣』，夔並非只有一足。」

葛蘭言把某段話放在特定的脈絡下寫成文字，卻沒有十足的考量古代思想家寄託的寓意。他透過連結這兩段話，試圖解讀成中國古代文化的夔，信仰鼓是掌管音樂的神。這裏我們不需要再提鼓只用一個腳固定的事實。或許葛蘭言努力在做的，可說是「集體想像」，也就是努力將整體的中國古代文明情況加以解釋。

這樣看來，羅爾夫・史爾坦在《極東的盆栽》中，如下批評自己的恩師，也一點都不足以奇怪了。

「葛蘭言到底是不是真的在研究中國。或許更明白的說，這種衍伸的論述跟實際的中國應該不能對應吧」

只覺得葛蘭言的研究不管在哪個作品中都過於單獨且繁瑣的人，或許不用在意史爾坦的發言。但如果葛蘭言做學的態度就如以上所述，那或許史爾坦對他的評價才是最準確的吧。

然而我每次咀嚼史爾坦的話的時候，心中往往無法克制的湧現懷疑，這雖然的確是對葛蘭言最沈重的批評，但同時也或許是對史爾坦最大的讚美。葛蘭言建構的「衍伸式」的中國古代圖像，或許只是一個虛構的像。但也或許是由透徹思考所分析出來的卓越的影像集合。我也希望就算是日本的中國古代史學界，也可以用新的方式重讀他的作品。

評傳

Maurice freedman, “Marcel Granet, 1884-1940”, Sociologist”, *The religion of the Chinese People*（1975年，為刊載在本書最後主要著書3的英譯，卷頭，附有 M.freedman 對葛蘭言的評傳）

鮑里斯·雅科夫列維奇·弗拉季米爾佐夫

（Boris Yakovlevich Vladimirtsov, 1884-1931）

森川哲雄

弗拉季米爾佐夫是舊蘇聯的蒙古研究人員，他在歷史、語言、文獻學、民間傳說等眾多方面留下了偉大的成果。他於1884年7月20日出生在現在烏克蘭的西南，面聶斯特河中游的支流斯莫特里奇河的卡緬涅茨波多利斯基市。父親是工程師。1904年中學畢業後，進入彼德堡大學的東亞語學系。根據他的妻子莉迪雅（Lidiya, V.）的回憶，他在小學的時候就有志於學者之路，對自然科學相當有興趣。大學選擇東亞語言學系的原因，也是當時爆發日俄戰爭，深受刺激，決定進行日本研究。然而當時該院沒有日文系，只好放棄，當時該院有葛域池（V.L. Kotvich, 1872-1944）、汝得尼耶（A.D. Rudnev, 1878-1958）等著名蒙古學者，他也因此選擇走上研究蒙古之路。同學部裡有巴托爾德（Vasilii Vladimirovich Bartold, 1869-1930）、和史登倫貝魯克（Lev Yakovlevich Shternberg, 1861-1927）等著名東洋學者。他於1909年從該學部畢業，之後1915年成為母校彼德堡大學的講師。更在1921年當上教授。之後1923年成為科學學院準會員，1929年成為正會員，卻不幸在兩年後1931年8月17日心臟病發作驟逝，享年47歲。

蒙古調查

弗拉季米爾佐夫前前後後進行了五次蒙古的田野調查。首次是在1908年，由「俄國中亞和東亞研究委員會」舉行的蒙古西部科布多城杜伯爾特城的語言民族調查。此報告於1909年發表，成為他首篇論文。其後1911年、1913～1915年、1925年、1926年，都同樣在蒙古西北部繼續調查。最後1926年將觸角延伸到中國。據說這些田野旅行更加深弗拉季米爾佐夫對蒙古人和蒙古利亞的喜好。弗拉季米爾佐夫的調查一方面收集蒙古的言語、民間文學和其他資料，一方面搜集文獻也是重要的目的。現今收藏於俄國聖彼得堡東洋學研究所的弗拉季米爾佐夫所收集的蒙古與資料，高達128件。主要特色是托特文字（衛拉特文字）的資料相當豐富，共有88件，是東洋學研究所收藏的托特文字資料的四分之一。根據這些資料，弗拉季米爾佐夫於1923年發表《蒙古衛拉特英雄史詩》（*Mongolo-oiratskii geroicheskii epos*, Moskva）和1926年《蒙古民間文學的例子》（*Obraztzymongol'skoi narodnoi slovesnosti*, Leningrad），研究衛特拉族相傳的英雄史詩，並加以介紹。這些調查成果之外，〈喀爾喀的卓克圖台吉碑銘考〉（1926年），〈蒙古阿睦爾撒納的故事〉（1927年）等。如此之外，他於1912年被派往巴黎和倫敦，進行法國國家圖書館和大英博物館的蒙古文獻調查，並把這些史料帶往蘇聯。

語言學、歷史學研究

弗拉季米爾佐夫對蒙古語的研究也留下重要的成果。他本身基本認同「阿爾泰語族論」，「試圖論證蒙古和突厥語和一部分的通古斯滿州語的親緣性」。其中1911年所著〈蒙古語中的土耳其語成份〉（《帝俄考古學協會紀要》第20卷），比較和介紹土耳其語和蒙古語的相同之處。然而這樣的立場也使他受到拉姆修特（G.Ramstedt, 1873-1950）和李蓋帝（L.Ligeti, 1902-1987）的批評。儘管如此，他還是一直奉行「阿爾泰語族論」，發表不少如〈蒙古語和土耳其語共同祖語的母音體系〉（與鮑培共著《蘇維埃學士院報告 B》1924年）和〈古代突厥語 Öcükenyis〉等蒙古語和土耳其語的關係的論文。可以稱為他語言研究碩大成果的東西，莫過於《蒙古書面語與哈爾哈方言的文法比較》（*Sravnitel'naya grammatika mongol'skogo pis'mennogo yazyka i khalkhaskogo narechiya*, Leningrad, 1929）。除了序文之外，這本書主要只討論語音學，本來似乎還打算寫其他部分，但這本著書，或者他的〈比較歷史方法論〉受到當時蘇維埃語言學會〈新語言學〉的作者瑪爾（N.Ya Marr, 1864-1934）的激烈毀謗，導致他不得不放棄《文法比較》的成書。哈爾哈方言和蒙古個方言的比較研究後來推陳出新，不得否認他的研究就比較老了。然而因為仍然有其價值，於是於1989年再度出版。他語言學的研究主要有桑傑夫的評論（G.D. Sanjeev, 1902-1982）（〈弗拉季米爾佐夫和蒙古語研究〉《蒙古民族的文獻學和歷史》*Filologiya i istoriya mongol'skikh narodov, Moskva*, 1958）。另一方面，直接討論蒙古的論文不多，只有〈"Dayan" quγ an（達延汗）的異名〉（《學士院紀要 B》，1924年）和〈哈爾哈的五個族—哈爾哈的五個營究竟在何處〉（同年，1930年）等幾篇作品，但這絕對不是代表他對蒙古史的具體事實不熟。1922年所著 *Chingis-khan*, Berlin-Peterburg-Moskva（日譯《成吉思汗傳》，生活社，昭和17年）中，概述成吉思汗的生涯和蒙古帝國建立的過程和其意義。這篇作品根據基本的史料寫成，對當時來說是相當具有意義的作品。他的撰寫方式令人注意的地方，在於他相當客觀的描述成吉思汗的長征，例如他評論「成吉思汗一生以自制、鍛鍊、卓越的實際遊牧民族自居，不讓自己淪為思考簡單且嗜血的殺戮者」。如大家所知，之後蘇維埃政府把成吉思汗貼上中亞破壞者的標籤，評價十分的不好。但他卻把成吉思汗和中亞「建立者」並獲得正面評價的鐵木爾相比較，「比成吉思汗征服更廣闊地區的亞洲另一個征服者——鐵木爾的樣子，成吉思汗大概從來沒有想過要建立一個用層層磚瓦和石灰泥遮蔽兩千多活生生的民眾的塔」。其他受到注目的還包括起源於印度的故事集、《五卷書》的研究（*Mongol'skii sbornik rasskazov iz Pancarantra*, 1921）和裘斯奧爾賽譯《入菩薩行論》的蒙古譯文文本的發表（《佛教學全集》*Bodhicaryāvatāra Çāntideva Mongol'skii perevod Chos-kyi hod-ser'a*, Vol.28, 1929）等，在此只稍微提一下名字。

《蒙古的社會制度、蒙古遊牧封建制度》

弗拉季米爾佐夫有數的研究中，讓他聲名大噪的是《蒙古社會制度、蒙古遊牧封建制度》（*Obshchestvennyi stroi mongolov, Mongol's kii kochenoi feudalism*. Leningrad, 1934，日譯《蒙古社會制度史》（生活社，昭和16年）。這本書把蒙古社會制度的演變分為三期，分別是封建制度開始的古代（11～13世紀）、封建制度的隆盛的中期（14～17世紀）、封建制度的崩壞的晚期（18～19世紀及20世紀初期）。根據該書序文的妻子的回憶，弗拉季米爾佐夫在1910年的日記中就有提到「我們有必要概述蒙古人的歷史、蒙古人的社會組織」，因此他開始研究蒙古不久的以後，就開始有了寫這本書的想法。不過實際開始要等到的第二節〈政治—社會情況的變遷〉完，就因為他的逝世無疾而終。這本書也是透過相關人員的努力，才能發表這本遺著。

弗拉季米爾佐夫在序論中提供了該書的資料來源和參考書。其中介紹的蒙古語文獻有《元朝秘史》為首的24件資料，很多收藏在當時的列寧格勒，並非其他國家蒙古學者所能超越的。在他所謂的古代期間，檢討氏族制度的遺留、成吉思汗統一後千戶制的問題、古代封建的身份、封建制度下的土地所有問題等，討論古代進行「封建化」的過程。中期社會方面，檢討封建制度下的身份關係、相互的義務責任、此時代特有的營和旗、萬戶等編制的特性、土地的領屬等其他，從封建制度的發展來進行分析。然而近代方面因為還沒寫完，幾乎沒有看到他的分析。他對蒙古社會的分析，大多基於基本史料，也大多都很優秀，但也不是都沒有問題。例如最大的缺點就是沒有使用漢語史料，他說史料很少的時代，其實也有某些資料。另外第三部18世紀以後的蒙古社會史研究的地方，現在已經不可能不用大量的文獻資料，但從他對文獻的介紹來看，他當時並沒有考慮到這一點。整體的角度來看，第一部、第二部對蒙古社會的分析也有不少問題。然而其中個別討論的問題卻相當有意義，這本書應該會因為這些優點仍被今後的蒙古研究當成重要文獻。

「遊牧封建制」論

弗拉季米爾佐夫在《蒙古的社會制度》中提倡的「遊牧封建制」論，在蘇聯的遊牧社會研究人員之間起了很大的迴響。「遊牧封建制度」這個語詞中，有蘊含對遊牧社會中存在特殊的封建制的這層意思。然而馬克思主義的歷史觀點，並不允許特殊的封建制度存在。而從哈薩克遊牧社會的研究者來看，遊牧社會並不存在如同農耕社會一般的私人大土地所有制，這也是封建制度不可缺少的要素。因此總有人批評遊牧民族自古以來就是停滯的社會，並不存在封建制度。不過蒙古遊牧社會學者卻支持弗拉季米爾佐夫的看法。遊牧社會存在封建制的討論從1930年代開始就在蘇聯的學會相當頻繁，1954年各方的立場在塔什干進行亂鬥。結論認同遊牧社會也有封建制度，但論戰又在1970年再度活躍。這些論戰某些也反應蘇維埃底下教條主義的論戰樣貌，也因此和弗拉季米爾佐夫依據眾多史料和前人研究所得到的傑出分析有所乖離。

弗拉季米爾佐夫本人

弗拉季米爾佐夫死後，許多有關人士紛紛撰寫追思文，強調他研究的偉大。然而描寫更多他人性的一面的，是他的學生，之後逃出蘇聯亡命美國的蒙古學者鮑培（N.N. Poppe, 1897-1991）所寫的回憶錄（*Reminisceneces*, Western Washington University, 1983, 下村充、板橋義三翻譯《尼可拉斯．鮑培回憶錄》，三一書房，1990）。雖然他對弗拉季米爾佐夫的研究成果有極高的評價，但對於他的性格卻描寫的相當嚴厲。例如鮑培發現新的題目想找弗拉季米爾佐夫討論時，弗拉季米爾佐夫不是說這個題目沒有研究價值，就是說那是他想研究的題目，試圖阻撓，若擅自發表之後就會被弗拉季米爾佐夫討厭。而且弗拉季米爾佐夫對時間十分沒概念，10點的課有時候11點以後才出現，12點結束的課上到下午2點才下課。生活也非常不規律，晚上10點或11點才開始工作，持續到早上4、5點。然後又為了清醒，常常喝大量的含萊姆酒和白蘭地的濃咖啡。又抽很多煙，或泡在超熱的水中喝著波特酒。「那樣的生活方式最後奪走的他的性命」，鮑伯這樣斷定。

語言學家瑪爾在悼念弗拉季米爾佐夫的死時悲傷的說「他的死真的是天命嗎」。他如果再活久一點，一定有更多的研究出世，令人惋惜。然而如鮑培稍微提到的一樣，1930年代，蘇聯刮起大清洗的風暴，東洋學者之中也有許多犧牲者。在這個暴風雨前夕過世，或許對他來說搞不好是一種幸福。

主要著書．評傳

著書（原標題請參照本文）

《成吉思汗傳》柏林，彼得堡，莫斯科，1922年

《蒙古衛拉特英雄史詩》，列寧格勒，1923年

《蒙古書面語和哈爾哈方言的文法比較》，列寧格勒，1929年

《蒙古的社會制度──蒙古遊牧封建制度》，列寧格勒，1934年

評傳

沙斯提那 Shastina, N. P.〈鮑里斯・雅科夫列維奇・弗拉季米爾佐夫（1881-1931）〉，《蒙古民族文獻學與歷史》，*Filologiya I istoriya mongol'skikh narodov*. Moskva, 1958, pp.3-11

米亥洛夫 Mikhailov, G. I.〈從 B. Ya. 弗拉季米爾佐夫的遺產〉，《蒙古》（*Mongolica, Pamyati akademika Borisa Yakovlevicha Vladimitsova 1884-1931*, Moskva, 1986, pp.10-21）

高本漢

（Bernhard Karlgren, 1889-1978）

大島正二

少年時代

高本漢是瑞典孕育的的偉大學者，也可稱為近代中國音韻學的創始者。1889年10月15日，他出生於瑞典南部的林雪平，父親是高中老師。高本漢年少的時候，曾經從師學烏普薩拉大學的隆德爾教授（斯拉夫學者、方言學者）的哥哥安頓（後來成為斯拉夫語教授）那裡學會了隆德爾發明的瑞典字母。或許可以說高本漢接觸了這個字母，訂定了他一生的方向。對方言十分有興趣的高本漢，曾經紀錄過別有洞天的斯摩蘭方言的語音，二十歲之前就發表了論文。而進入烏普薩拉大學以後的他，也接受隆德爾教授的指導，進行瑞典各方言的調查，並開始學斯拉夫學。他當初本來有志於研究北歐語，但後來聽哥哥安頓的勸改做漢語，這也有可能是受到隆德爾教授的影響。

中國的方言調查（20-22歲）

1910年2月，經由隆德爾教授的推薦，高本漢獲得調查漢語方言的獎學金前往中國。據說當時的高本漢並沒有學過漢語。然而他在短短兩三個月的方言調查時間內，就學會中文的會話和漢字知識，還完成三千一百字的調查表。做好萬全準備的高本漢，就利用他語音學的知識，從事陝西、甘肅、河南等北方中國的方言調查。當時正值辛亥革命爆發，清朝滅亡的動盪時代，他身穿和中國人一樣的服裝，只有馬和隨從跟著，冒著生命危險旅行中國北方各地。這個擴及24個地點的方言調查，比任何中國人或學術團體都還早。高本漢就這樣在中國待了兩年，獎學金用完後，靠教英文和法文過活。令人震驚的是，他從來沒有學過英文，只在離開歐洲的船上的時間就學會了（S. Egerod, Obituary for Bernhard Karlgren〈高本漢死亡記事〉，*Annual Newsletter of the Scandinavian Institute of Asian Studies*, 13, 1979. S. R. Ramsey, *The Languages of China*, Princeton Univ. Press, 1987 高田時雄譯《中國的語言》，大修館書店，1990）

巴黎時期

1912年1月，高本漢攜帶方言調查的結果回到歐洲。待在歐洲幾個月以後，他搬到當時歐洲漢學（Sinology）的中心地巴黎，一直住到1914年。期間他師學譯註《史記》而著名的漢學家沙畹（E. Edouard Chavannes, 1865-1918，參照本書69頁，池田溫〈沙畹〉），還認識漢語音韻學造詣很深的伯希和（Paul Pelliot, 1878-1945，參照本書93頁，森安孝夫〈伯希和〉），和之後成為高本漢辯論對象的馬伯樂（Henri Maspero, 1883-1945，參照本書113頁，福井文雅〈馬伯樂〉），受到很大的啟發。尤其馬伯樂的 Etudes sur la phonétiquehistorique de la langue annamite, les initials〈安南語音韻史研究—聲母〉（*BEFEO* 12, 1912）在研究方法上給了他很大的影響。

刊行《中國音韻學研究》(25歲)

1915年，回到母國的高本漢完成了不朽名著 *Etudes sur la phonologie chinoise*《中國音韻學研究》(Archives d'Etudes Orientales, vol.5, 1915-1926)(漢譯：高本漢著，趙元任、李方桂、羅常培著《中國音韻學研究》，商務印書館，1940)。這篇論文用比較語言學的方法考究中國各方言、日本、朝鮮、越南的漢字音、中國的音韻資料(韻書、等韻圖)，試圖復原《切韻》(601年)的音韻系統(Ancient Chinese, 中古音)，是奠定漢語音韻史研究的基礎和方向的劃時代巨作。1915年5月，此論文讓高本漢獲得烏普薩拉大學的文學博士學位，和相當有權威的儒蓮獎。他當時才只有年紀輕輕的25歲。

漢語音韻學是中國固有的傳統學科，清朝時建構中古音的體系已經相當進步。然而當時還沒有理論上能夠和歐洲近代語言學的方法相提並論的作品。高本漢根據科學的語音學和音韻史的原理，以中國音韻學的成果為基礎，重建語言學的中古音。這也是他該被稱為近代中音韻學的開創者的原因。進入1930年代後，高本漢的說法引起馬伯樂、德國賽門、俄國德拉古諾夫、中國李方桂、羅常培之間的批評和論戰，其中的經過詳見賴惟勤〈中國音韻史研究的解說〉(收錄於《萬葉集大成》〈語言篇〉平凡社，1955)。

任教於哥特堡大學(28歲)

如此確立學術地位的高本漢，於1918年9月被邀請至哥特堡大學任教。他的任期到1939年，1931～1939年擔任該大學的校長。

對高本漢來說，哥特堡大學時代是他學者的成熟期，他發表了許多優秀的論文。中古音和上古音(Archaic Chinese)的研究多過十根手指頭，中古音也有批評馬伯樂的 Le dialecte de Tch'ang-ngan sous les

T'ang〈唐代長安方言〉（*BEFEO*, 1920）的 The Recon-struction of Ancient Chinese〈重構中古音〉（*TP*. Vol. XXI, 1922），和比較藏語和漢語問題的 Tibetan and Chinese〈藏語和漢語〉（*TP*. Vol. XXVIII, 1931）等。後者是批評賽門的 Tibetische-Chinesische Wortver-gleichungen〈漢藏詞彙的比較〉（*Mitt. Sem. Or. Spr*., Bd,. XXXII, 1929），高本漢認為比較其他語言時，需要考究漢語本身詞彙之間的歷史關係。因此，需要從音韻層面規範漢語的詞族（Word Family），於是他寫了 Word Family in Chinese〈漢語的詞彙家族〉（*BMFEA* Vol. V, 1933）。

之後他也陸續進行上古音的研究，研究成果集合在 Grammata Serica, Script and Phonetics in Chinese and Sino-Japanese〈中日漢字形聲類纂〉（*BMFEA* Vol. XII, 1984）。此為1923年巴黎刊行的 *Analytic Dictionary of Chinese and Sino-Japanese*《漢語和日本漢字音分析辭典》（Geuthner）的擴編，包括緒論、描述上古音到中古音、中古音到北京官話的音韻演變、正文。正文採取字典的形式，將各個文字依照古音的韻部順序，整理成同樣聲符的諧聲群，簡單描述字形、字音的演變和古文獻中的詞義。上古音和研究雖然已經經過清朝的考證學者向前推進許多，也已經幾乎整理出一個體系，但具體的音值仍然不明。高本漢從近代語言學的觀點考察這些成果。此著作後又參照新的研究重新成書，他全面改寫漢語音韻史的部分以 Compendium of phonetics in Ancient and Archaic Chinese〈中國上古、中古音概述〉（*BMFEA* Vol. XXVI, 1954）出版，正文修改後又以 Grammata Serica Recensa〈中日漢字形成類纂（改訂版）〉（*BMFEA* Vol. XXIX, 1957）出版。

高本漢的興趣不只有在漢語的音韻。他也根據他研究音韻學的成果，獨自進行語法研究。任職哥特堡大學時，最先發表了有名的 Proto-chinois, langue flexionnelle〈原始漢語—屈折語〉（*JA* Tome XV, 1920）（石濱純太郎譯〈原始中國語考〉，《支那學》第一卷，1921）。

此篇論文試圖利用古籍人稱代名詞的發音和用法論證原始漢語是有詞性變化的屈折語，在歐洲的語言學界一時成為話題。高本漢關注在擁有孤立語特性的漢語中佔有文法史重要地位的助詞，發表了幾篇論文。他又仔細調查《左傳》的助詞用法，發表討論文章真實性的 On the Authenticity and Nature of the Tso-chuan〈左傳的真實性和本質〉（小野忍譯《左傳真偽考》，文求堂，1939）。

高本漢在即將離開哥特堡大學的1936年後，興趣轉往考古學，一心從事青銅器的研究。這也是因為使用金文的語料必然需要考究青銅器上金文銘文的年代，另一個原因或許和高本漢重建的上古、中古音體系，進入30年代後成為批評和檢討的對象，受到不少打擊有關。他的多篇論文都根據羅振玉、王國維、郭沫若的銘文研究，討論青銅器的年代 Yin and Chou in Chinese Bronzes〈青銅器中的殷和周〉（*BMFEA* Vol. VIII, 1936），New Studies on Chinese Bronzes〈青銅器新研究〉（*BMFEA* Vol. IX, 1937）。

轉任遠東古代博物館長（49歲）

1939年，高本漢受邀擔任斯德哥爾摩遠東古代博物館（The Museum of Far Eastern Antiqueities）的館長。而他於1945年至1965年間仍持續擔任斯德哥爾摩大學的教授，之後仍以該大學的名譽教授持續研究，將許多論文在博物館的官方雜誌 *Bulletin of the Museum of Far Eastern Antiquities*（簡稱 *BMFEA*）的每一集裡公諸於世，有時候甚至會出現幾乎獨佔一整集的大論文。

此時期的論文，基於助詞用法的分析上，有討論王充《論衡》語言的 Excursions in Chinese Grammar〈中國文法遊歷〉（*BMFEA*, Vol. XXIII, 1951）和討論《水滸傳》、《西遊記》、《紅樓夢》等明清時代白話小說的語言特性 New Excursions in Chinese Grammar〈新・中國文法遊歷〉（*BMFEA*, Vol. XXIV, 1952）、討論上古音的 Tones in Archaic Chinese〈上古漢語的聲調〉（*BMFEA*, Vol. XXXII, 1960），Final -d and -r in Archaic Chinese〈上古漢語的韻尾-d、-r〉（*BMFEA*, Vol. XXIV, 1962）等，古籍研究占高本漢後半輩子相當大的比重。《詩經》的註解有 Glosses on the Kuofeng Odes〈國風註解〉（*BMFEA*, Vol. XIV, 1942）、Glosses on the Siaoya Odes〈小雅註解〉（*BMFEA*, Vol. XXI, 1944）、Glosses on the Ta ya and Sung Odes〈大雅、頌註解〉（*BMFEA*, Vol. XVIII, 1946），《書經》的註解有 Glosses on the Book of Documents〈書經註解〉（*BMFEA*, Vol. XX, 1948）、Glosses on the Book of Documents〈書經註解〉II（*BMFEA*, Vol. XXI, 1949），《左傳》的註解有 Glosses on the Tso chuan〈左傳註解〉（*BMFEA*, Vol. XLI, 1969）、Glosses on the Tso chuan〈左傳註解〉II（*BMFEA*, Vol. XLII, 1970）。另外《詩經》和《書經》也出版以以上註解為基礎的英文翻譯。

我們可以看到高本漢竭盡所能的發表中國古籍的註解，這也是他從音韻學研究累積下來的東西。高本漢甚至還利用他淵博的音韻學知識，試圖接觸解讀中國古籍時必要的假借（借用相同聲音而改用漢字），著有五篇論文。Loan Characters in Pre-Han Texts〈先秦文獻中的假借字〉（I: *BMFEA*, Vol. XXXV, 1963, II: Vol. XXXVI, 1964; III: Vol. XXXVII, 1965, IV: Vol. XXXVIII, 1969; V: Vol. XXXIX, 1967, Index: Vol. XXXIV, 1967）。

上列論文之外，高本漢還著有幾本一般人看的概論書。根據奧斯陸連續演講所做的 *Philology and Ancient China*《文獻學和古代中國》（Instituttet for sammenlignende Kulturforskning, Serie A, Oslo etc., 1926）（岩村忍、魚返善雄譯《中國語言學概論》，文求堂，1937），是《中國音韻學研究》的簡明版本，獲得廣大迴響，而 *The Chinese Language, an Essay on its Nature and History*《漢語──其特性和歷史》

（Stockholm, 1945. The Ronald Press Co., 1949）（大原信一等譯《中國的語言》，江南書院，1958）中，可見他獨特的漢語史觀，十分有趣。

就這樣，高本漢的研究成果從音韻學開始，擴及到文法學、文獻學、古籍研究，最後還到考古學，範圍廣泛，令人震驚的是他每個研究的論證都相當明瞭整齊。

高本漢任職博物館長的1939年，不幸爆發第二次世界大戰。黑暗籠罩歐洲，高本漢的辯友馬伯樂，因為兒子參加抵抗運動的秘密組織，和太太一起被納粹的秘密警察抓到強制收容所，承受不了艱苦的環境，在1945年3月，戰爭結束前夕死於痛苦。相反的，高本漢身在堅持中立的瑞典，能持續公開發表學術成果，實在是相當幸福的一件事情。

高本漢還很喜歡玩風帆和自行車（遠藤光曉〈高本漢的生涯和學問第一回〉《中國語》八月號，1994）。被推薦為英國王立亞洲協會、法國亞洲學會名譽會員，又是日本財團法人東洋文庫的名譽研究員的他，將碩大的研究成果貢獻給世界的漢學界後，於1978年10月20日，結束人生。享壽89歲。

高本漢去世隔年，景仰高本漢的河野六郎博士刊載追思文〈悼念高本漢先生的長辭〉於《東方學報》（第六十一卷，第一、二號，1979）刊載，此文是了解高本漢學問最好的入門書。另外西田龍雄博士的〈Bernhard Karlgren 的研究成果和漢語語言學〉（收錄於上述之《中國的語言》）也相當有用。

高本漢的著作總目錄（只到1945年）有 Else Glahn, List of works by Bernhard Karlgren（*BMFEA*, Vol. XXXVIII, 1956）。

保羅・戴密微
（Paul Demiéville, 1894-1979）

興膳　宏

保羅・戴密微是二次大戰後歐洲東洋學相當重要的存在，這是幾乎大家都認同的事情。而他的身體，也讓人想起他母國瑞士高山，相當的強健體大。

1966年的早春，我即將結束在研究所研究的前夕，戴密微拜訪京都，在京都大學進行令人印象深刻的演講，標題為「法國和學的歷史展望」。演講結束後不久，我從吉川幸次郎教授那裡意外的得知「戴密微先生說很想見你」。其實，我剛好前陣子去中國，遇到在北京某大學擔任外國講師的戴密微愛徒約翰皮爾，桀溺（Jean-Pierre Diény, 1924-2014），可能是戴密微想問他學生的近況。

我誠惶誠恐的拜訪他逗留的旅館，這位歐洲東洋學大師，很爽朗地迎接我，就中國的現況和他愛徒的事情，熱心地詢問了我知道的事情。我不大記得詳細的對話內容，但和他巨大身體不符的溫柔舉止和流暢的中文，還有更重要的，被他絢爛名聲所圍繞不做作的鴻儒態度，至今仍深深的印在我心上。

戴密微生於1894年9月13日，瑞士日內瓦湖北岸的洛桑。父親是大學醫學部的教授，他為了上學，很早就離開故鄉，他終生還是保有喜愛自己小時候生長的山和自然的心，這也對他將來的文學研究有很大的影響。離開伯恩的高中以後，他最先前往學習的地方是德國的慕尼黑，之後他到英國倫敦和愛丁堡遊玩，在當地連同俄文一起，開始學中文。他開始學日文也是這個時期的事情。而此時期，他也遇到對他有決定性且重大影響的兩位老師。一位就是萊維（Sylvain Lévi, 1863-1936），另外一位是沙畹（Edouard Chavannes, 1865-1918）。

萊維從1894年以來，就一直是法蘭西公學院的教授，擔任印度語言學和宗教、文化等整體領域廣大的的課程，而他也通曉中國的漢語文獻，比較印度、西藏、中國的佛典等，是充滿企圖心且活躍的大師，現在也因曾經和高楠順次郎一起編纂刊行中的法語佛教辭典《法寶義林》而知名（戴密微從創刊以來就一直致力於這本辭典）。戴密微就在他座下學過梵文和佛學。這個經歷也對將來成為佛學家的戴密微有重大的意義。因為在他漢學的前輩之中很少有人通曉佛經的情況下，他還能藉由印度和中國兩方的語言，培育出從多方角度了解佛教的能力。

另一方面，沙畹比萊維早一年被聘為法蘭西公學院的課程講師。他當時只有28歲。如同大家所知，沙畹在中國的史學、文獻學等多方面留下相當龐大的著作。根據戴密微所說，他生涯中幾乎沒有沒學過的學科，「真要說的話只有他最討厭的文學，和他當時踏入漢學時當作目標的哲學而已」（〈法國漢學研究的歷史展望〉下，《東方學》34，1967）。二十世紀初期，沙畹接受親友萊維的邀請，慢慢將研究重心轉往漢譯佛經的翻譯，完成《節錄漢譯大藏經故事五百篇》（1910～1911）的不朽名作。但也因為這樣，他未能完成譯註相當嚴密的司馬遷《史記》的續集。

戴密微就在兩位優秀老師的指導下，開始他的研究生涯。1920年至1930年十年期間，他在自己研究的東亞度過。一開始他以法國遠東學院的的研究員身份待在越南河內四年，接著他任教中國福建省廈門大學兩年後，1920年來日本，成為東京剛創立的日法會館的研究學生，之後又擔任該會館的代理館長。在世界各地多方研究之後，於

1930年回國取得法國國籍，隔年1931年擔任於巴黎東亞語言學校教授。之後，至1945年的15年間，他一邊進行中文的教學，一邊也逐漸廣泛的涉及中國研究，開始嶄露頭角。

戴密微初期的研究對象是以佛學為中心，不過他的研究範圍無法完全包含在其中，有時他對知識的好奇會無法克制，擴散到關注到令人想不到的領域。例如1925年〈中國考古學筆記〉正可以展現他對考古學的部分認識，同年他發表對宋代建築名著《營造法式》嚴密討論的論文，後來也被翻譯成中文，得到很高的評價。他對考古學的關注，應該也是受到老師沙畹的影響。

而他也受到比他年長的朋友馬伯樂（Henri Maspero, 1883-1945）的刺激，深入關心中國民間信仰和習俗。有人說在馬伯樂的遺著《道教》得以出版，是因為得到很多戴密微的學識和犧牲奉獻（收錄在福井文雅〈歐美東洋學〉，《歐美東洋學和比較》，1991年，隆文館）。旺盛的好奇心雖然是學者所不可缺乏的條件之一，但戴密微在這方面的確異於常人。某人評他「第一級的獵犬」，的確是說的很妙。

當時正值敦煌學受到矚目的時期。剛好這時中國文獻學者王重民也在巴黎專心調查伯希和收集到的東西，成為重要的機緣。戴密微回憶，他們兩個習慣每週一次，一起針對王重民新調查的成果，騰出時間進行檢討。成為戴密微佛學代表作的《拉薩僧諍記》（*Le concile de Lhasa*, 1952）的發想，也應該是在這期間產生的。1930年代至1940年代的時期，是他日後在敦煌學界成名最重要的時期。

第二次世界大戰，歐洲漢學的首領法國蒙受極大的損失。沙畹門下的三位英才，伯希和（Paul Pelliot, 1878-1945）、馬伯樂、葛蘭言（Marcel Granet, 1884-1940），接二連三的在這場國難中意外消失。首先導入社會學研究方法的葛蘭言，看到德軍入侵法國，過於激憤而氣絕身亡。歷史學家馬伯樂，因自己兒子參加抵抗運動遭到秘密國家警察連坐逮捕，巴黎解放前夕被德國帶走，病死於布亨德瓦集中營。

文獻學者伯希和，也在馬伯樂死後不久辭世。法國漢學的重建，就這樣落在戴密微的雙肩上。戰爭結束當年，他剛滿50歲。

1946年，戴密微接馬伯樂的位置，被聘為法蘭西公學院的教授，幾乎同時，他也就任養成專門研究人員的高等研究院（Ecole pratique des Hautes Etudes）教授。而他也接著伯希和，在歐洲有相當長傳統的中國研究專門雜誌《通報》擔任編輯人員。這些事情全部擔負在一個人的身上，光想像就不是容易的事情，但他能夠同時勝任，並讓自己從前累積的學問開花結果，還同時培育了許多優秀的後進，把法國漢學導向新的發展。

戴密微在戰後的成果首先令人注目的是敦煌資料的研究。伯希和帶回來重要的許多文獻，經過戴密微門下的人的努力，從千年的沈睡中甦醒，以活人的姿態重新復甦。尤其使他名聲屹立不搖的，正是上述《拉薩僧諍記》。這本書精密譯註以描述八世紀末西藏為舞台，中國禪宗和印度中觀派爭論佛教教義的漢文資料《頓悟大乘正理決》（伯希和4646），首次較有系統闡明被傳統的迷霧所籠罩的事件。而他不只是單單提起佛教史研究的問題，也關注唐、西藏、印度之間的文化交流層面，獲得極大的迴響。他不只是單純解說和介紹一個文獻，還從廣大文明的視角，活用敦煌文書的新資料，這些可以說是戴密微研究的真實體現。

敦煌文書中，他也對保留唐代俗語的故事文學「變文」相當有興趣，常常在課堂中討論。變文只從漢字字面是十分難解釋的東西，他解讀的奇異，可從神田喜一郎對他某個變文作品的評論窺探一二，「他的確是完全讀懂充滿俗字俗語、誤字借字的難解文章」（〈敦煌學的近貌〉）。但可惜的是，他只斷斷續續發表了幾篇翻譯，並沒有把文章整理起來。俗話文學部分，他還研究王梵志的詩。對王梵志的詩的研究成果，在他死後才發表（*L'oeuvre de Wang le zélateur*, 1982）。

戴密微生前自己公開的著書，還有評價很高的《臨濟錄譯注》

（Entretien de Lin-tsi, 1972）等，但數量並不多。他所任教的法蘭西公學院的教授，每年都必須要上三十多次全新的課程，一年的課程結束後，馬上又得開始準備隔年的課程。更不用說持續位居法國東洋學高點的人，想要花時間成就一個研究，並著成一書，往往都過於忙碌。他在法蘭西公學院教授的前輩伯希和和馬伯樂的研究成果，很多都沒寫完留著，他自己的豐碩成果，也常常沒有開花結果就結束了。例如思想史方面，有他曾一度耗費精力的莊子和清朝特異思想家章學誠的研究，文學史方面，也有六朝自然派詩人謝靈運的研究。關於戴密微對這些研究的看法，描寫在門徒編纂的兩冊《研究選集》（*Choix d'étudessinologiques et boudhiques*, 1973）。

還有一個戴密微的研究成果不能遺忘，那就是把法國漢學的文學研究向前推進。19世紀雖然在詩歌、戲曲領域，偶爾還是有相當水準的研究和翻譯，但二十世紀前期的大家，對文學的關心還是較弱的。沙畹翻譯《史記》，也是因為重視史料的重要性，葛蘭言受《詩經》吸引，也是因為它的社會價值。戴密微和這些人不一樣的地方，在他對文學中的詩特別有興趣。年少時他熱愛音樂和俄國文學，或許這種資質使他成為了這方面的研究者。

戴密微的研究，從敦煌文獻轉往禪書，最後如禪僧和王梵志的詩，和謝靈運這種正統詩人的詩，也逐漸納入他的研究領域之中。1960年以後的課程主題，和詩有關的與日俱增，尤其是1963年至1965年的三年之間，都在連續上謝靈運的傳記和文學。他傾心於冥想成分很重的謝靈運的山水詩，或許是身為阿爾卑斯山人的關係。經過他編修，後來透過聯合國教育科學文化組織支持所出版的《中國古典詩歌文選》（*Anthologie de la poésie chinoise classique*, 1962），是收集《詩經》到清代的詩集，由他底下優秀門生揮筆的高品質翻譯。他自己執筆寫的卷頭概述，簡單描述了中國詩的簡介，至今仍相當有用。戴密微對詩的關心，甚至擴及毛澤東的詩，有十首毛詩詞的譯註（1965年）。

戴密微死後，留下一題為〈佳逝〉（Belles morts）的草稿。這後來經過門生桀溺整理，出版成《中國辭世詩集》（*Poèmes chinois d'avant la mort*, 1984）。這本書分為兩部，前半是禪僧的詩，後半是先秦到近代瞿秋白的文人詩，合計共收錄82首。這應該是他在研究的過程，一點一滴的收集的作品。這本書是被他的淵博學識和灑脫的精神所包圍的好書，也是他最好的離別禮。

我在戴密微死後三年，待在巴黎時，參觀過他收藏在中國研究所地下書庫的舊藏書。他在整齊排列許多線裝漢書的書架上，放著一本日文的桃太郎繪本。這本書有點像是要打破中國古書的沈重氣氛，也可看出受到大家尊敬的大學者所不經意透露出來的幽默。

主要著書、評傳

《拉薩僧諍記》，*Le concinle de Lhasa*, 1952
《中國古典詩歌文選》*Anthologie de la poésiechinoiseclassique*, 1962
《臨濟錄譯注》，*Entretien de Lin-tsi*, 1972
《中國研究選集》，*Choix d'étudessinologiques* (1921-1970), 1973
《佛學研究選集》*Choix d'étudesbouddhiques* (1929-1970), 1973
《王梵志集譯注》*L'oeuvre de Wang le zélateur*, 1982
《中國辭世詩集》*Poèmes chinois d'avant la mort*, 1984

漢學研究的歷史展望（《東方學》33、34，大橋保夫、川勝義雄、興膳宏譯，1967）
原文為 Aperçu historique des études sinolofiquesen France, Acta Asiatica 11, 1966。

法文的主要評傳如下。

Yves Hervouet (*T'uong Pao* 65, 1-3, 1979)

Michel Soymié (*Journal Asiatique* 268, 1980)

Jean-Pierre Diény (*Livret 2*, Ecole Pratique des Hautes Etudes, IVe section, 1985)

Jacque Gernet (Institute de France, Academie des Inscriptions et Belles-Lettres, 1966)

Christian Nguyen Tri (Numéro spécial des *Cahiers d'études chinoises*, 1995)

日文的略傳，有川勝義雄的〈戴密微〉(收錄在《世界傳記大事典》西洋篇，ほるぷ出版社)

圖齊

（Giuseppe Tucci, 1894-1984）

立川武藏

「主旨還活著」

聽到這個充滿對西藏學、印度學的無限精力的巨匠，讓我想起一件事情。

1975年春天，我拜訪了某出版社的紐約分部，因為當時我們打算出版西藏曼陀羅系列的書，而這個紐約分行同意了這項市場調查。分部當然也送了調查表給義大利，但馬上，就聽到「圖齊去世了」的「明確」情報，而紐約分部也只好寄給圖齊夫人弔唁和惋惜的信。後來發現，圖齊其實還活著。分部社長也就只能再寄信到義大利，並且也寫報告到東京本部。我在紐約看到的就是要寫給東京的報告內容，上頭明記「主旨圖齊」，一開頭就是「主旨還活著」（The subject is alive）。

到了二十年後的今天，我仍然記得當時的錯亂。圖齊真正去世，要到十年過後。然而，他依然還「活著」。

確實歐美的東洋學者中，出現了一位擁有不尋常能力的人。或許說，近代西藏、印度、尼泊爾的研究，確實是由歐美學者建立的，也不為過。這一兩個世紀印度人的印度研究，也可說是由歐美的研究所激發的。在分隔好幾千公里的土地上擁有不同傳統的人究竟是怎樣能正確調查，並分析紀錄的，是我長久以來的疑問。這並非是因為他們有過於常人的體力，或者是天才般的語言能力。這必然是歐美長期建構的學術傳統所致，然而，我的疑問是，獲得這麼龐大成果的研究方法究竟是如何建構出來的？

連結圖齊的研究成果，我發現了一件事情。他經常拿西藏、印度文化一例如繪畫、建築一和自己的文化比較。他並非在進行比較文化的考察，而是他把自己的傳統文化用自己的方式全盤掌握，並透過這個整體的圖像觀看其他的文化。因此圖齊培養了審視文化或思想的態度，用這種成熟的態度，把他人文化當作第二或第三個自己的文化般凝視。我每次看印度的時候，很可惜的都還沒有全盤掌握日本文化的感覺。

圖齊的青年時代

圖齊以前的學生、也曾經共同研究的拉尼耶洛・紐利寫了「圖齊的回憶」（服部文彥翻譯、圖齊《曼陀羅的理論和實踐》，金岡秀友、秋山余思翻譯，金花舍，1992年）。以下將根據這本書追溯圖齊的生涯和思想。

圖齊在1894年6月5日，生於中部義大利的馬切拉塔。12歲時開始親近梵文和希伯來文，接者又學了波斯語。他的首篇論文是17歲的〈比坎奴地區的羅馬人名研究〉，用拉丁文完成。圖齊就這樣很早就把關注從大西洋沿岸各國移到中國海沿岸的各國文化，認為這廣大的地區裡存在某種共通性。日本人考察中國和中亞文化時，很少有人注意到以印度為中心的埃及、巴比倫、波斯文化有什麼共通點。然而對看過埃及古文化、巴比倫、亞述考古遺物的人來說，印度古文化跟這些世界的深刻關係是很容易看出來的。義大利圖齊生長在地中海沿岸文明，早已超越「西洋和東洋」的框架，思考更普遍的文明架構。

說「圖齊現在還活著」的原因，正是因為他這種對人類文明的動態觀點。

住在印度與調查西藏的旅行

1925年至1930年，圖齊待在加爾各答和近郊的香提尼克坦。他對印度的了解應該都在這個時候成形。1926年他出版《佛教》*Il Buddhismo*、1929年《從中國資料看陳那以前的佛教邏輯學文本》*Pre-Dinnāga Buddhist Texts on Logic from Chinese Sources*、1930年《彌勒與無著學說的各個層面》（*On some aspects of the doctrines of Maitreya and Asanga*）。他這時期的興趣主要在佛教。

另一方面，他也和泰戈爾、甘地、拉塔格麗素那等印度思想家和宗教皆有深交，觸碰印度精神的最核心。1929年他第一次前往西藏調查，之後到1948年，他總共去西藏調查了八次。

他在90年的人生中完成最輝煌的成果之一，就是西藏的調查旅行。歷經八次的調查旅行，包括書籍、繪畫、建築物和禮儀的照片等，收集了相當龐大的資料。後人雖然曾對當時圖齊收集資料的方法進行批判，而圖齊在當地收集資料時究竟和西藏人之間怎樣交涉，現在雖然沒有資料紀錄，但可以確定的是若沒有圖齊帶回來的資料和照片，我們現在就很難知道當時西藏文化的樣貌。1959年西藏歷經動亂即將進入新時代，該如何評論動亂前的西藏國的樣貌，暫時無法在此深論，可以知道的是，圖齊的確出版了許多動亂前西藏文化的貴重報告和研究。

圖齊到第七次的旅行的成果《印度西藏》*Indo-Tibetica* 陸續在1931～1941年出版。這本書在最近有 *Śata-pitaka Series*（ed. Lokesh Chandra）New Delhi 的英譯本，其中的照片和文件是現今獨一無二的資料。著作總有三部。第一步是關於佛塔和曼陀羅，包含對佛塔象徵的詳細考察。另外，西藏參雜燃燒死者剩下的灰所做成小的土佛塔（擦擦）的照片，也收錄在這本書中。第二部是印度高僧仁欽桑布的研究。9世紀中滅佛以後，西藏佛教進入黑暗時代，11世紀以後，復興佛教的，正是能讀梵文仁欽桑布。今日我們傳頌且翻譯的印度經書《西藏大藏經》，能復原到跟失去的梵文原書一樣正確，應該可說是這個僧侶的功勞。圖齊藉由這些資料讓自己成為西藏佛教中具有歷史地位的關鍵人物。第三部，是關於斯提提、札巴蘭寺院和尊像的研究。近來拉達克和北印度的西藏佛教寺院開始可以調查，出版許多報告書，但圖齊的《印度西藏》依然有其價值。

1944年圖齊卸下公職，1949年出版代表作《西藏繪卷集成》*Tibetan Painted Scrollsn* 三卷（1980年，臨川書店出版複印版，圖版印在幻燈片）。這本書描繪西藏歷史、宗教、藝術、思想的整體模樣，至今仍是西藏研究的基本文獻。如同此書的標題所述，此書的中心是西藏繪畫。

圖齊認為「西藏佛教的繪畫遵守幾個固定的模式，幾乎無法發揮任何創造力」。儘管如此，圖齊仍認為不管是義大利或西藏，畫家眼前展開的視野都是一樣的。看到西藏畫的義大利人，不管是聽到基督教的聖歌還是西藏僧侶的歌聲，都會進入同樣的冥想狀態。

前面也提到，圖齊並沒有打算從事比較藝術理論的研究。看過梵蒂岡巨大殿堂描繪歐洲精華的他，試圖將當時歐洲沒有人知道且他自己也說「沒有藝術香味」的西藏佛畫，和達文西的畫結合。他意圖找出大西洋到中國海的文化共通性，接近人類文化的共同核心。

中亞和遠東研究所的設立和尼泊爾調查

時光稍微往前追溯到1930年，圖齊回到義大利。在這前一年，他被選為義大利學院會員。1931年，他開始在拿坡里東洋大學教書，之後在羅馬大學擔任宗教和哲學的課程老師。開始教哲學課是在1964年，一直教到退休為止。

雖然他已經在大學教課，但圖齊還是希望可以建立環境設備比較充足的研究所。1933年，他的願望實現，中亞和遠東研究所成立，這裡習慣被大家稱作 IsMEO，後來成為圖齊東洋學的根據地。他兩百本的圖書、資料等，後來都送到這個研究所。1950年，此研究所出版〈東方羅馬系列〉*Serie Orientale Roma* 第一卷《西藏王的墓》*The Tombs of the Tibetan Kings*，之後變成超過五十卷的書。此系列中，也收錄前面提過繼承紐利和圖齊的佩德克的研究成果。

IsMEO 開始正式活動的是1950年，圖齊前往尼泊爾開始新的冒險。到1954年間他總共去了六次尼泊爾。19世紀末，法國東洋學者萊維也曾進行調查研究，之後尼泊爾就進入鎖國。1950年圖齊是開國後首先進入尼伯爾的外國研究員。1952年，出版秋天到冬天調查的遊記。義大利語版於1953年，英譯版1977年分別出版。後者 *Journey of Mustang*, RantaPustak, Kathmandu 也有日譯本（黃寅秀翻譯《尼泊爾的秘境——木斯塘之旅》）。

此調查旅行中，圖齊一行人從加德滿都經過博克拉，再到西尼泊爾的木斯塘，南下經過藍毗尼，最後回到加德滿都。這些地區半個世紀以前的情況，和86張照片一起都被詳細紀錄下來，可知加德滿都盆地的的寺院意外的沒有什麼變化。

圖齊也收集了加德滿都盆地最古老的碑文，之後紐利於1957年出版在《尼泊爾的笈多文字碑文》Nepalese Inscription in Gupta Characters（東方羅馬系列）。

思想家的圖齊

圖齊研究的關注，不只在藝術、習俗、歷史，也在佛教修行方法和邏輯學，甚至還在哲學通史。1959年他出版《古代中國哲學史》*Storia della Filosofia Cinese Antica*，之後經過35年，出版《印度哲學史》*Storia della Filosofia Indianna*。

前面也提到，圖齊比較不同文化，試圖從中找出共同的「核心」或構造。在這層意義上，他也是思想家。體現他這方面的作品有前述的《曼陀羅理論和實踐》Teoria e pratica del Mandala（1949年）。此作品有另一日譯本（《曼陀羅理論和實踐》，羅魯夫・基布爾翻譯，平河出版社，1984年）。

圖齊也用深層心理學寫這本書。他從榮格的集體無意識和「精神普遍原型」等概念獲得靈感，試圖探索印度的普遍精神。他雖然在書中受到深層心理學的影響，但並非只是照著寫。此書還是文獻學家圖齊的書。然而在書中他相當自由，他超越印度和佛教的鴻溝，試圖從曼陀羅中看出印度自古以來的精神核心。並且用相當自然的方法—也就是用讓讀者接受的方法—來透露印度曼陀羅人類心性的「核心」。

主要著書、評傳

《佛教》*Il Buddhismo, Foliogno*, Campitelli, 1926

《從中國資料看陳那以前的佛教邏輯學文本》*Pre-Dinnāga Buddhist Texts on Logic from Chinese Sources*, Baroda, Oriental Institute, 1929

《彌勒與無著學說的各個層面》*On some aspects of the doctrines of maitreya [nāthā], Calcutta*, Calcutta University, 1930

《印度西藏》*Indo-Tibetica* I, II, III, Roma, Reale Accademia d'Italia, 1932-1936

《西藏繪卷集成》*Tibetan Painted Scrolls*, 2 vols,., Roma, Libere-riadellostato, 1949

《曼陀羅的理論與實踐》*Theoria e pratica del Mandala*, Roma, Astrolabio, 1941 (*The Theory and practive of the Mandala*, London, Rider and Co., 1961)（羅魯福・基博爾翻譯《曼陀羅的理論與實踐》，平河出版社，1984）（金岡秀友・秋山余思合譯《曼陀羅的理論與實踐》，金花社，1992）

RanieroGnoli, Ricordo di Guiseppe Tucci, Roma, Istituto Italiano per Medio ed Estremo Oriento, 1985（服部文彥翻譯《圖齊的回憶》，收錄於前述金岡秀友・秋山余思翻譯）

魏復古
（Karl August Wittfogel, 1896-1988）

湯淺赳男

1988年這位學者的訃聞不知是否沒有任何一個新聞社報導，他的著書有十本，都有日譯版，由此可見在日本知識份子之間的知名度應該不低，學術上來看，他也絕對有資格成為報導的對象，卻被這個國家的學者和記者抹殺他的存在。

這件事情和他的學識在二十世紀的潮流中都是相當悲慘的命運。理由很簡單。他是共產體系的理論家，後來和共產黨一起揭發共產黨統治的社會主義國家的真面目。對共產黨和同行來說，是一種背叛，不只是比什麼都還深怕反共的我國，對世界「進步」的文化人士來說，這也是絕對是一種「轉向」。也因此每次提及他時，總會污辱他的人格，或扭曲嘲笑他的學說。但不可思議的是，他死後的歷史，卻證明了他才是正確的事實。

年輕的社會主義家

魏復古出生於1896年，是德國漢諾威的小村瓦爾特爾斯多夫中，一位學校老師的小孩。他似乎從幼時就相當早熟和好奇心強，中學時代開始就加入當時青年運動的中心漂鳥運動，還是其中的領導。經過萊比錫大學、慕尼黑大學、羅斯托克大學學校後，當他在1917年第一次大戰時期被徵兵時，還是一位文學青年。

1918年，戰爭結束，進入革命的時代。他前往柏林，活躍於青年運動的潮流中，最後加入獨立社會民主黨（VSPD）。之後，1919年，他出席萊比錫社會主義學生大會，被選為日內瓦召開的國際社會主義學生大會的德國代表之一。1920年他成為教育勞動階層和 VSPD 的支持者學校的講師，與哲學家卡爾・科爾施認識。VSPD 分裂的這年秋天，他也一起轉到德國共產黨。

此時他最關心的是戲劇。他寫了不少戲曲，其中某些還由皮斯卡托主演，還有些在莫斯科、東京、紐約表演。但後來，他卻沒有成為威瑪德國的主要劇作家之一，而走上研究中國問題的專家一途。他在大學跟屋頓學習哲學史，和藍普列希特學德國史，又和理查・艾倫貝魯克學經濟史，尤其艾倫貝魯克的還勸他當社會科學家，但他之後還是於1921年正式在萊比錫開始學習漢學。1925-1931年間，他已被德國共產黨視為代表的中國觀察家。

中國問題專家

當時，第二次中國革命正如火如荼的進行，世界的關注都在中國。在這種情況下，他於1925年法蘭克福「社會研究所」取得一席，專門開始進行中國研究。他在此撰寫他最早的著書《覺醒的中國 當今中國問題的歷史概述》，於1926年出版。他和這個研究所的關係，是在1922年認識草創的菲力克斯・瓦倫後開始，他搬到法蘭克福後也受到所長的格倫貝魯克的庇護，接二連三的撰寫多篇力作。1927年他發表《上海一廣東》和〈中國經濟史的問題〉（刊載於《社會科學—社會科學檔案》）、1929年發表〈地政學、地理的唯物論、馬克思主義〉（刊載於《馬克思主義的旗下》）和〈中國農業的前提和基礎要素〉（刊載於《社會科學—社會科學檔案》），1931年發表《中國經濟和社會—大亞洲農業社會的科學分析》。

這時期，他不僅對中國問題，也對很多方面進行發言，屢屢投稿至《國際》、《Inprecor》、《Inprecor》、《Die Weltbühne》、《Die Rote Fahne》等雜誌，上述的力作都在這時期撰寫而成。1928年他前往莫斯科，和瑪扎爾、多伯洛夫斯基、沃爾加等非正式的進行討論，馬克思恩格斯研究所所長列札諾夫也把馬克思未發表的草稿〈亞洲生產模式〉給他看。更在1931年柏林大學舉行的黑格爾逝世百年紀念會上和盧卡奇及比他更早與共產黨決裂而疏遠的科爾施一起出席，又以同樣名義和盧卡奇共同出席莫斯科的會議，爭取和強大的納粹戰鬥的很多時間。

「亞洲生產模式」

本來，魏復古和共產黨的關係就不是很好。1925年，史達林批評德國共產黨時，他就和科爾施、魯卡奇一起被第三國際的公開信批評，發表《中國經濟和社會》的1931年，史達林更抹殺他所依據的「亞洲生產模式」，把他當成批評的目標。這個抹殺他的活動在這年的「列寧格勒會議」就已開始，約爾克、格迪斯等學術官僚就已經徹底攻擊他和馬札爾、沃爾加。也因此沃爾加等人之後就捨棄這個概念，但魏復古終究沒有接受這個抹殺。

他不只得和左邊的人戰鬥，同時也必須面對右邊的攻擊。1933年，希特勒奪取政權後，他立即被逮捕送到集中營，幸好韋伯夫婦、拉斯基、多尼等發表國際聲明，他才被釋放。1934年1月搬往英國，把在集中營的體驗，用克勞斯・亨利克斯的名字寫成小說。接著該年九月，他得以加入紐約「社會研究所」，經由社會研究所和太平洋問題調查會的幫助，於1935年7月至1937年10月前往中國。在中國時，他發起中國官僚制的研究計畫、中國王朝研究計畫之外，還發表了以下的研究。1935年〈中國經濟史的基礎和階段〉（刊載於《社會研究誌》）、1936年〈家族威權發展的經濟史基礎〉（刊載於霍克海默《威權與家族的研究》）、1937年〈遠東政治背後的社會一經濟要素〉（刊載於《Amerasia》）、根據中國期間的成果1938年發表〈東洋社會理論〉（刊載於《社會研究誌》），〈中國社會的新曙光〉（日譯名《中國社會、經濟組織的探求》）等。

與共產黨決裂

魏復古越來越傾心於在這些作品中都可看到「亞洲生產模式」概念，同時也逐漸對蘇聯失望並和共產黨產生齟齬。他在中國期間與愛德加．史諾和史沫特萊交流，從中國回美國後，儘管仍然把共產黨放在嘴上批評，但與容共派的人依然維持朋友關係。但是，1939年的德蘇互不侵犯條約變成最後一擊，他也從此正式和共產黨決裂。

這個決定對他的研究環境並非沒有激烈的影響。共產黨員和同路人對叛徒的迫害，是眾所皆知的猛烈。當時美國的知識份子，尤其是中國研究員之間，共產黨也有相當程度的滲透，也因此他當時進行的計畫都無法再繼續了。例如洛克斐勒企業資助的「中國歷史計畫」，只出版了馮家昇的協助完成的《遼代中國社會史》（1949年刊行）。

魏復古儘管飽受孤立，且「亞洲生產模式」的概念依然在1938年的〈東亞社會理論〉中展露，但他對現代蘇聯的分析也並非瞬間就確立。他從1940年開始作品數量極度銳減，可能也是這段時期在多方探索的原因。這樣的情況於1947年畫下休止符，是因為他閱讀了友人伯特蘭．沃爾夫為列寧、托洛斯基、史達林寫的傳記《完成革命的三人》。這讓他想起1906年俄國社會民主勞動黨在斯德哥爾摩大會上普列哈諾夫指出列寧土地國有化綱領「亞洲式復古」的危險性。因此他決定在理論上邁出一步，1950年於《世界政治》發表〈俄國與亞洲〉。

往「東方專制主義」

在這篇論文裡，他明確認為東方和西方文明完全不同，各由不同歷史的理論發展，且俄國從這個角度看來應該是東亞社會。他也因此再度確認自己前期的研究中，主張由生態學的條件而來的治水灌溉農業會訂定社會樣貌，並產生東方專制主義，他認為將這件事情概念化的時候，與其使用亞洲等地理名詞，倒不如使用一般用詞會更廣為接受，因此提出「水力社會」這個詞。接著他又強調權力系統的自主性，單從生態條件來看，俄國完全沒有理由被稱為「水力社會」，但受到學習中華帝國的專制官僚制的遊牧民族蒙古人統治，進而「水力社會」化，產生俄國專制帝國的基礎，在此基礎上轉化成與沙皇帝國不同的工業國家蘇聯，進行專制官僚制。

這種一掃動搖蘇聯的看法的論文之後，魏復古的發表活動逐漸活躍，相當令人玩味。他一邊計畫《中國經濟與社會》的第二卷，一邊也把之前寫到瓶頸的《東方專制主義》統整想法，這統整的過程也可從著作年表中看出來。1953年〈東方專制主義〉（刊載於《ソシオロガス》）和〈東方專制主義的統治官僚階級　麻痺馬克思的一現象〉（刊載於《review of politics》第一卷第三號）、1954年〈共產中國的歷史地位　教義與現實〉（刊載於《review of politics》第一六卷第四號）、1955年〈水力社會發展的各個層面〉（收錄於 J. Stewart 編《灌溉文明》），1956年〈水力文明〉（收錄於 W. L. Thomas 編《地球表面變化時的人類角色》）等。這些準備或是概要式的論文之後，就是於1957年他發表的晚年主要著作了。

對魏復古的迫害

《東方專制主義》是魏復古學術的頂點，也可以說是最高峰。但這本書也很不幸的成為《受詛咒的書》。這本書在完稿的過程，他就飽受不少風暴。首先是1951年「太平洋問題調查會」馬卡蘭委員會中的證詞，讓飽受摧殘。他不只知道他的老友歐文．拉提摩亞長期背叛他，拉提摩亞的充滿惡意的發言，也捏造出不少魏復古的謠言。還不只如此。這個問題在此書出版的1957年，諾曼自殺事件再度爆發，也使他的人格被完全的蹂躪踐踏。關於他遭誣告犯罪的詳細內容，可參照最近日譯的烏魯曼的大評傳。

此著書後魏復古也寫了很多文章。基本上都是《東方專制主義》內容的延伸，他也不只是重複，也闡發了例如單一中心社會、多數中心社會等概念，值得注目。但是，如同路易斯．喀薩所說，除了少數知情的人士外，他完全被學界孤立，1988年就這樣辭世。一生被左右派的集體主義肆虐，尤其又被自稱批判體制的知識份子背叛，算是喧囂的二十世紀的一顆悲劇棋子。

話雖如此，社會主義崩壞，對現今文明的類型的關注也逐漸萌生。時至今日，曾經闡明受氣候風土限制而形成不同的文明類型、權力的不同類型、文明受中心、周邊、亞周圍地區影響特性不同的他的這些研究，也會被重新定位。

主要著書、評傳

Wirtschaft Gesellschaft Chinas. ErsterTeil, Leipzig, 1931（日譯 平野義太郎統整《解體過程中的中國經濟和社會》中央公論社，1933年）

Oriental Despotism. A Comparative Study of Total Power. New Haven, 1957（日譯 湯淺赳男《東方專制主義》新評論，1991年）

G. L. Ulmen, *The Science of Society. Toward an understanding of the Life and Work of Karl August Wittfogel*. New York, 1978（日譯 龜井兔夢統整《魏復古評傳》新評論，1995年）

李約瑟

（Joseph Needham, 1900-1995）

橋本敬造

李約瑟以《中國科學與文明》的作者聞名，但他早在二次大戰開始以前他就以生化學者和科學史家馳名。他和中國的關係，要到1937年三位中國生物學家到劍橋念博士以後才開始。中國人正是王應來、沈時章、魯桂珍等三位，李約瑟和他們一起在生化學研究室進行研究時，學了中文，他還參與劍橋漢學教授哈倫，每週兩小時閱讀《管子》的課程。

而他和中國產生絕對的關係，是在二次大戰爆發後，1942年，他被任命為英國皇家協會的代表，和英國國家學術院的代表 E. R. 杜斯（牛津大學的希臘哲學家）一起去中國的時候。此一使節團是為了激勵當時被日本軍包圍的中國科學家，由日本學者喬治撒姆森所提出的想法。

在中國大使佛雷斯・賽摩亞的協助和理解下，李約瑟建造中英科學合作館，在以英國大使館的所在地重慶為據點，提供中國科學家實際的援助，而他也因此一直在中國待到大戰結束後的1946年。

生平與學歷

李約瑟，於1900年12月9日，在倫敦當醫生的父親和音樂家的母親家中誕生，是家裡的獨生子。父親曾在亞伯丁大學教過生物的組織構造，也是自己開診所的家庭醫生，後來成為倫敦哈萊街的麻醉醫生。李約瑟和基督教的緊密關係是繼承他的父親的。他除了同時繼承父親科學家的心，少年時期的他也受到父親對宗教和科學的態度影響。若說音樂家和作曲家的母親賦予他行動力和創造力的寬廣，那麼父親在宗教和思想層面的態度則影響了李約瑟。

李約瑟一開始被送到北安普敦的公學校歐德爾校就讀。校長是G·威魯斯的朋友 F.W. 桑德斯。據李約瑟所述，學校「並不是很開心的地方，但得到很多有價值的東西」。李約瑟當時在古籍班，上了很多歷史課程，也上了桑德斯的聖經課。桑德斯把《舊約聖經》當成歷史和考古學的書，也嘗試做過歷史地圖。當時正值第一次世界大戰，他被動員到工廠工作，學會了車床和銑床的基礎技術知識。他自認這些知識對後來他在中國寫科技史時很有幫助。

李約瑟後來進去劍橋大學學醫學。他所就讀的是17世紀初，提倡血液循環論的威廉·哈維所就學的岡維爾與凱斯學院。他也很自然的就成為聖多里尼會的一員，也成為醫學生所組織的英國教會聖路加會劍橋分部的書記。他曾經回憶，比起大學的課程，在聖路加會傍晚的集會中學到的東西比較多。他在此學了波斯和阿拉伯的醫學，使用戈壁沙漠發掘的祈禱書進行摩尼教的議論，這也在李約瑟心中種下宗教學、哲學、自然科學史等方面的知識種子和夢想。

大學畢業後他因為醫學的臨床研究，沒有去倫敦，而留在劍橋繼續生物化學的研究，因為這樣才能拿到獎學金。1924年他和同樣是生物化學家的多羅西·瑪麗·莫伊爾結婚，也被選為凱斯學院的特別研究員。雖然他沒辦法當醫生，但他當上研究員以後，便可以往基礎科學研究之路邁進，使他在1932年取得博士學位。之後他主要的興趣就慢慢往科學史的方面固定下來了。

胚胎生物化學家的李約瑟

1920年至1942年間，他主要以學生、實驗的教授、薩・威廉・敦紀念副教授（reader）活躍在劍橋大學生化學研究室，在生物化學之母的薩・佛列德克・G・霍普金斯下度過研究生活。一開始他研究環己六醇的代謝問題，後來他逐漸邁入他專門研究的胚胎生化學。

他提出卵子的成長過程包含化學物質的變化和合成。1931年他在此基礎上出版三本《化學胚胎學》著書，此書中闡明型態發育如何同時產生化學變化，兩者如何相關，李約瑟也建立了此研究方向的起點。霍普斯金另外還指導過多羅西畢生進行的肌肉收縮的生物化學研究。

李約瑟透過 G. H. 沃丁頓的協助，接下來十幾年都持續鎖定以形態發育賀爾蒙產生作用的原子和分子。1942年出版《生物化學與形態發育》，此書不僅是這領域的基礎用書，也敘述了不少當時還沒解開的問題，至今仍相當有用。李約瑟在劍橋學派中，就是這種用內分泌學闡明「形成體」化學理論的核心地位。1937年李約瑟夫妻編輯共同老師霍普金斯的記念論文集《生物化學的展望》，1949年出版《霍普金斯與生物化學》的紀念集。

基督教和馬克思主義的整合

李約瑟入學前的1917年，俄國十月革命成功。受到威魯斯和蕭伯納著作的影響，他深受社會主義吸引，對十月革命的成功給予肯定，然而他在大學時代卻從來沒有對政治表示有興趣過。將李約瑟和馬克思主義結合的，正是他和多羅西一起去布列塔尼海洋生物研究所工作時遇到立陶宛的猶太人路易斯・拉普金的影響。他接觸這位人物後就開始閱讀馬克思主義的文獻和史賓諾沙。

當時，李約瑟夫妻得知埃塞克斯的某個賽的克斯得特教會。該教會的孔蘭特・諾維牧師完全受到基督教社會主義的影響，相信神會拜訪世上的王國，和進行神聖儀式的人結交朋友。李約瑟深信這個神王國的教義，就是幾世紀以來人類努力所建構的世間的正義和友情世界的化身。因此他相信宇宙和生物和社會的進化，本質上應該合而為一。人類進步的想法也應該有由此出發。基督教徒思考馬克思唯物史觀和階級鬥爭的教義，就該認識社會進化過程中神的作用，李約瑟就此結合了基督教和馬克思主義。

此說法在1936年成為牛津 H・史賓賽的課程主題後開始普及。這也是他在《歷史在我們這邊》的著書下寫上有〈政治宗教和科學信仰的論文集〉副標題的原因，也可看出他宗教思想的雛形逐漸往耶穌會士德日進傾斜。思考進步的概念時，李約瑟常常浮現科學、生物學的圖上散落的點所連結出來的一條向上的直線，忽略微小的波動，認為進步基本上仍然是統計的結果。

1930年他和查爾斯・列本及馬克思主義的一位論派的約翰・路易斯一起編纂論文集《基督教與社會革命》，警示市民戰爭和納粹法西斯的出現所造成的危機。而他也隸屬於勞動黨左派社會主義聯盟劍橋分部，出版《平等運動與英國革命》的小冊子。此類活動在體制內的人的評價都不大好，但他們行動的準則是認為，儘管社會的革新不會馬上出現，但都應該努力去平等的接觸每個人。之後李約瑟知道孔子名言「君子尊賢而容眾」時，曾經說自己終於找到自己長久以來實踐的道理了。

李約瑟的有機哲學

李約瑟經常尋求機械唯物論和精神主義活力論之間的中庸之道。他的中庸之道，與唯物辯證法密切相關，是從試圖結合微觀生物化學和宏觀形態學的理論生物學中產生的有機哲學而來。這些想法可從身為胚胎學者的李約瑟「形成體現象」的研究中類推出來。

生物化學家獨立酵素反應，生理學家研究獨立的生物系統，動物學和植物學家關心形態分類。然而生物化學家試圖結合實驗胚胎學和形態學，不得不考慮部件的相互作用和控制整體的物質的性質。這也就是李約瑟所謂的有機哲學。他之後對懷海特的哲學感興趣，持續和J. H. 伍德格等的理論生物學家交流，都是從這種興趣而來。

他在耶魯大學也曾經進行相同立場的連續課程《秩序和生命》（1936年）。這是進入電子顯微鏡時代前，強調細胞微小構造功能的跨時代著作，之後於1968年再版。此種有機哲學在李約瑟進行中國哲學研究時也有所幫助。《中國的科學與文明》第二卷提到的應被稱為12世紀的中國神學——宋學，也是李約瑟發現了他們共同的特徵。

《化學胚胎學》的開頭包含19世紀胚胎學的歷史，這一部分後來獨自出版，暫時還沒有類似的科學史的專著。而他也在戰爭前就開始寫科學史的論文。然而，他決定開始寫中國文化圈的科學技術史，則是要到準備前往中國的1942年前。李約瑟和多羅西不時會到康瓦爾郡基魯摩斯拜訪查爾斯・D・辛加夫妻，辛加對他們夫婦有重大的影響。李約瑟曾經回憶，著有《科學思想的歷史》的辛加，是他決定開始寫中國科學技術史相當重要的人物。

從戰爭時的中國到巴黎

進入中國的李約瑟，和當地的學者和科學家保持相當好的關係，中國人也會對他敞開心胸自在的找他說話。這是因為他一直用謙虛的態度面對豐富的中國的語言、文學和思想、歷史，用知識平等的態度互相交流的關係。李約瑟原本以為，當時滇緬公路封閉，英軍在各地老吃敗仗，英國人應該不受中國人歡迎。而他久住中國期間，成為中國科學院的外國人會員，英中合作結束時，也就是戰爭到了最後的階段時，還獲頒旭日星位勳章。科學院院長郭沫若和董作賓，或是李書華，還曾在卷軸上寫詩送給李約瑟。

1942年尾以後，李約瑟開始可以自由的前往任何村莊或都市。他也可以獨自前往遙遠的儒教、道教、佛教的寺院，觀賞古老建築的美。李約瑟回憶，他可以自由的進出中國人的家庭和市場，體驗逐漸崩壞的社會悲劇。

戰爭結束的前一年，魯桂珍參加營養顧問團而從美國回國。曾經指導她的學位研究的多羅西也以化學顧問加入同一團。在去中國之前，李約瑟夫婦就以英國皇家協會的鴛鴦成員（1942年）而聞名。戰爭結束後，李夫人回到劍橋繼續科學研究，而李約瑟則和魯桂珍一起訪問北京。在拜訪了她的出身地南京後，他們經過倫敦前往巴黎，因為李約瑟被本部在巴黎的聯合國教科文組織叫回去商討設立科學部的事情。

聯合國教科文組織是英中科學合作下很自然的產物。李約瑟在戰爭時就對聯合國打算設立這個特別機關相當有興趣，從重慶寄來很多備忘錄，強調教育和文化之外，還必須包含科學的重要性。即使在戰爭時，他也飛到華盛頓、新德里、坎培拉、倫敦、莫斯科，積極說服當時的政治家。

出版《中國的科學與文明》

1950年，李約瑟從巴黎回到劍橋後，立刻開始著手《中國的科學與文明》，這也是當時年過94歲的他仍汲汲營營經營的一大事業。1954年，劍橋大學出版社出版第一卷〈序言〉。接著討論〈思想史〉的第二卷，〈數學〉、〈天學〉、〈地學〉的第三卷，〈物理學〉、〈機械工學〉、〈土木工學〉、〈航海技術〉的第四卷，也陸續添加了此書的頁數（以上都有日譯本）。

李約瑟在戰爭前就決定要寫一本中國文化的科學、技術、醫學的歷史書，但誰也沒想到會拖到戰後，且內容如此浩瀚。書越編越大以後，才發現這本書比原先計畫的需要更多的空間。第四卷後開始各分三卷，包含尚未出版的第五卷化學，就分為十四分冊，第六卷生物分為十分冊，最後第七卷的社會背景也預計分為四分冊。包含之前已出版的十五分冊，剩下未出版的冊數幾乎跟已出版的差不多多。

李約瑟中國科學史的研究，綜觀全書，採用比較歷史的方法。並且從一開始就得到許多中國學者的協助，才得以順利出版。一開始的合作對象包括王鈴（王靜寧）。九年後，王鈴獲得澳洲國立大學教職後，他又請了一直在聯合國教科文組織工作的魯桂珍。其他還有何炳郁及羅宋邦等李約瑟的朋友和合作對象，和許多專家一起合作。

《中國的科學與文明》的評價雖然各式各樣，但可以說沒有受到批評的地方，絕對是李約瑟著手完成了之前沒有人做過的事情的偉大貢獻。此書一開始，也有無法充分取得資料和原籍、考古學證據的問題。然而，李約瑟用他的洞察力、頭腦的清晰和獨創能力，掌握複雜的細節，投射出令人興奮的中國科學的知識影像，對道教、新儒學和傳統科學技術及醫學等注入新的理解，正是這本書所擁有不需贅述的高評價。他對以往所不知的中國文明進行更詳細的研究，並且讓此書的成果廣為人知，在思想史上也是值得一提的事情。

本著中難以完全寫完的題目和演講、論文集，多以單行本出版。包括專論宋代大天文時鐘的研究《水運儀象台》（共著），發現隕石的史詩《中國製鐵技術的發展》，論文集《東方與西方的學者和工匠》、《四海之中》、《文明的滴定——東方與西方的科學與社會》、《理解的定型》等不勝枚舉。

他於1976年辭去凱斯學院的院長，出版《中國科學與文明》的劍橋大學出版社在研究圖書館設立以李約瑟藏書為主的東亞科學史圖書館。隔年，圖書館被移到附近的建築物裡，劍橋大學就在新設立的羅賓遜學院提供一部分兩千多公尺的基地，從兩層樓的兩邊傾斜連結到一層樓，蓋成一個堅固的東方風味的建築，命名為李約瑟研究所。現在此機構成為推廣出版計畫的機關。

名譽道家的人類愛情

李約瑟晚年，被問到究竟是科學家還是歷史學家的時候，曾回答過他自己應該是「名譽道家」。他首次到中國的時候，發現還豐富存在於鄉下道觀的道教中世紀禮儀，隨著不斷的研究比較宗教後，他也終於發現這些東西的魅力。在他深入研究中國文化科學技術史的同時，他也發現中國人在認識自然和發展科技時，道教思想的重要角色。而他也了解到古代道教哲學處於和基督教的矛盾和平行關係之間，其自然的信仰及自然神秘主義都對他有極大的魅力。

李約瑟認為世界宗教是「人類學的東西」。基督教在中國和印度，往往展現人種的驕傲和優越感等偏見。然而李約瑟認為，我們基督教徒必須參考其他的文明，從形式本身或者從歷史中找出這宗教的價值。

為了未來社會和福祉和和平，我們都需要互相理解和互相說明。在此國際的理解層面上，中國文化中的科學科技史研究也貢獻良多，李約瑟也因此進行了大規模的計畫。他也確信人類所有事情的統一性。他有他自己貢獻社會的方式，認為所有人種的隔閡可以透過科學技術跨越。他相信不只近代科學才是科學的全部，「智慧並非和歐洲人一起誕生」，科學技術的豐功偉業，應該由所有人類一起參加。

李約瑟的想法中，比起切割宗教、科學、哲學，相互結合反而才更有力量。這並非單純是知識的東西，而是實際的東西，在每個人的心中都會產生。也就是《論語》所說的「四海皆兄弟」，對他來說才是真理。

主要著書、評傳

Chemical Embryology（化學胚胎學）, Cambridge University Press, 1931

A history of Embryology（胚胎學的歷史）, Cambridge University Press, 1934

Order and Life（秩序和生命）, Yale University Press, 1936, reprinted by MIT Press, 1968

Time, the refreshing River（時間：新的流逝）, Allen and Unwin, 1943; repr. Version, Nottingham, 1986

《文明的滴定》橋本敬造翻譯，法政大學出版社，1974

《中國的科學與文明》1～11卷（東畑精一、藪內清監翻譯），思索社，1974～1981年

《東方與西方的學者和工匠》（山田慶兒、牛山輝代翻譯），河出書房新社，1976年

《中國科學的潮流》（牛山輝代翻譯），平凡社，1986

M. Teich& R. Young (ed.), *Changing Perspectives in the History of Science. Essays in Honour of Joseph Needham*（李約瑟記念論文集：變幻的科學史的展望）, London: Heinemann, 1973

中山茂、松本滋、牛山輝代編《李約瑟的世界》，東京：日本地域社會研究所，1988

M. Davies, *A Selection of the Writings of Joseph Needham*（J. 李約瑟著作選集）, London: Book Guild Ltd., 1990

白樂日

（Etienne Balázs, 1905-1963）

斯波義信

我國東洋史學的草創著，白鳥庫吉博士，曾經這樣說。細緻的考證並非是歷史，歷史是經由正確的實證闡明的人類、或者人類社會方向，考察史實的只是考證學，以此為結果闡明「歷史的潮流」的正是近代史學（榎一雄《東洋文庫六十年》財團法人東洋文庫1977年）。師事高本漢，現在也是美國哥倫比亞大學名譽教授，研究漢代史的漢斯．威廉史塔茵博士，也認為白樂日是全部具有（一）批判史料的能力（二）確立文本本身的史料價值的能力（三）客觀且避免意識形態的提問能力。在東洋學發達，尤其是研究逐漸細緻化，研究水準逐漸提升之際，他提出注重考證固然是好事，但也警告不要過度執著於瑣碎，他是一位親自實踐現代歷史學家應該發揮本領尋找的方向的人，綻放在白樂日本人和他成果上不滅的光彩。

西歐近代漢學之父

白樂日的傳記檔案，有幾個值得強調的點。第一，他是在法國索邦東洋學的傳統中，既是馬伯樂的弟子又是戴密微同世代的人，佔有一定地位，但他卻在50歲才被錄用，在58歲，比他老師馬伯樂還年輕的時候，就放下研究英年早逝。他遠大的整體構想（還不經意的促成今日美國東洋學全盛），只有一部分留在他還在世時的著作裡。

第二，匈牙利出生的他，在1949年當上巴黎國立科學研究所的主任之前，為了對抗納粹而從母國逃往法國，投身抵抗運動，活過驚濤駭浪的時代，是一位「在野」時期很長的學者。

第三，他雖然本來就是因為佛教哲學踏入漢學領域，但他當時對馬克思．韋伯和馬克．布洛克，尤其是對韋伯以一般史比較中國官僚制的說法相當有興趣並獲得啟發，開始成為韋伯思想的追隨者。韋伯正是漢學社會科學學科的始祖。1929年巴黎費爾南．布勞岱爾、呂西安．費夫爾高舉「社會史派」年鑑學派大旗，而在1955年，聘請白樂日的索邦的高等研究院第六部門，就是這個社會史派的學問實踐場。

第四，在這樣的閱歷下，他關注人類的一般史（並非以西洋為中心的世界史）、普遍且基層的問題（問題史），並因而開拓境界學領域，試圖實踐國際且跨學科的研究。

柏林大學的研究

白樂日於1905年1月24日，生於布達佩斯，對哲學和音樂（巴爾托克等）還有政治，有相當大的興趣。1923年，他滿18歲進入柏林大學，立刻被奧托．福蘭閣看出他的天份。福蘭閣是中國外交官轉任的學者，當時正值他出版《中國史》（1930年）等五卷大冊的前夕。從1919年就在慕尼黑大學講課的韋伯於1920年去世，當時他出版的《宗教社會學論集》使白樂日受到很深的刺激，於是開始在柏林研究〈唐代社會經濟史〉，這也成為他之後研究中國官僚制和資本主義的契機。1932年，他27歲以《唐代經濟研究》獲得柏林大學學位。韋伯的史料收集的能力不是很完整，然而白樂日首先開拓中國社會經濟史，比馬伯樂早十年建立嚴密的制度史料的體系。他往後讚不絕口的加藤繁博士的研究，尤其是首篇論文1916年〈中國古田制的研究〉，和

1925、1926年學位論文《唐宋時期金銀的研究》雖然早在他之前完成，然而他當時應該還無法知道這個消息。獲得學位的白樂日一邊研究漢朝及六朝的文化，一邊調查宋代王安石的新法，從宋代的政治文化中尋找中國近世的曙光。

亡命法國

1935年他逃往法國，參加巴黎反納粹的地下運動，當時他也很積極的參加法蘭西公學院漢學的公開講座。1938年，他在古斯塔福．古洛茲所編《一般史》中，和馬伯樂一起撰寫〈西元1400年前的中國制度〉的2/3，包含南北朝到宋遼金元的部分。最後巴黎被德軍攻佔，他逃到南法蒙托邦縣的小村，戰爭結束後三年間，當語言老師過活。

1949年尾，巴黎 CNRS 聘白樂日當主任研究員，他也完成想放在《中國中世社會及經濟研究》第一和第二部的〈隋書食貨志〉、〈隋書刑法志〉的譯註，刊載在〈通報〉42卷（1953年）和〈巴黎大學高等研究院叢書〉9號（1954年）。〈隋書食貨志〉是關於漢代以後社會經濟制度的基本書籍，他的譯註也於1954年獲得儒蓮獎的榮耀。第三部〈晉書刑法志〉的譯註，翻譯和史料都整理好了但還是沒完成，後來靠萊頓大學福魯茲耶之手加上序和索引發行。任職於 CNRS 的隔年，他在南法義大利邊境的濱海阿爾卑斯省，可往下看見地中海的岩山上買下別墅，享受短時間的優雅生活。

索邦高等研究院

1995年，他受聘為索邦高等研究院社會經濟研究部（第六部門）的主任教授，維持了約九年的地位。附屬於同一部門的歷史研究中心的所長是有名的經濟史家費爾南．布勞岱爾，在他的幫忙下，他埋首於〈宋史提要編纂計畫〉等國際且跨學科的大事業。他的學識和寬廣的視野及嶄新的鑑識,都可毫無遺憾的發揮在這份工作上,但也因此他用盡全力把自己徹底累壞了。他曾在逃往巴黎時身染重病,因而有心臟的痼疾。1957年,聯合國教科文組織在日本舉辦「東西文化交流史國際研討會」時,白樂日首次前往遠東的日本。

但這趟旅途使他的健康更加惡化。他在還沒讀完〈中國官僚社會的永存〉就心臟病發作昏倒(10月28日),在看護照顧六個禮拜後恢復健康,隔年初,他決定和日本專家合作繼續「宋史計畫」,之後歸國。

在英美授課

在此前後,白樂日靠著嶄新的視野和科學的想像所累積下來的獨創性,不只在法國,也在國際漢學中,佇立於公認的首要地位。然而他卻逐漸感受到痼疾帶來的死亡陰影,晚年能讓他高興的,正是在英美的授課。1960年牛津,1962年他在耶魯,1963年在倫敦大學講課,邀請他的朋友和受他啟發的學生普遍認同他的想法,在1960至1970年代的英美間形成嶄新璀璨的東洋學。除了前面提到的兩本遺著以外,《中國官僚制》加利瑪出版社,1968年(英譯本《中國文明與官僚制》,耶魯,1964年,日譯本,みすず書房,1971年)和《舊中國的政治理論和行政現實》SOAS,1965年,都是他晚年的成果。1963年11月29日,他因二度心臟病,死在大師沙畹也曾經住過的豐特奈之玫瑰市,結束短短的人生,享年58歲。

想回顧白樂日的人生和學業,索邦高等研究院皮爾・愛契奴・威魯曾說戴密微所寫的追悼文(《通報》51-2、3,1964)不錯,裡頭附有他已出版的51部和未刊行的31部作品清單。日文有在他朋友村松祐次博士的《中國文明與官僚制》的日譯本附上的〈白樂日和其遺著兩本〉(25頁)一文和包含出版、未出版、主要課程和演講的分類成果目錄，收藏在1971年出版的同一本書中，可知道詳細內容。山內正博教授翻譯的〈漢學的五十個主題〉(〈1955年白樂日（1905～1963）提出的漢學五十個主題《宮崎大學教育學部紀要》1981/9）也是貴重資料。

對美國漢學的影響

邀請白樂日在倫敦大學連續授課的，是 SOAS（亞非學院）的漢學主任，也是唐代史專家的托伊切特，認為白樂日是「西歐近代漢學之父」。邀請他去耶魯大學的獨一無二的朋友亞瑟・萊特也是隋唐史、道教史的學術大師，評論白樂日為「世界中國研究中的巨頭」。當時亞洲殖民地正在脫離歐洲各國，對亞洲的關心也逐漸消退，美國在經歷三次亞洲戰爭後（太平洋戰爭、韓戰、越戰），認為維持世界長久的和平必須深化和亞洲的相互理解，開始綜觀亞洲過去和現代的變化，進行大幅度的跨文化比較研究。亞洲研究雜誌也改為跨學科的雜誌，挑選範圍大的題目，集結世界中的菁英開會且出版作品。

1951年遠東中國思想委員會進行中國文化、文明的跨學科和跨文化比較，試圖在世界知識遺產中取得定位，計畫舉行多場連續的研討會，列特菲特是主要編輯，再分配萊特、托切特、菲爾邦克、尼威森為各論文集的編輯。首先是思想和制度、儒教與國家、性格、行為等論文集，接著是家族、經濟組織、都市等社會科學，然後是世界、外交秩序、庶民文化、控制和摩擦等跨領域的論文集。白樂日若活得更久一點，一定可以為自己編的書目增添更多精彩。他所提倡的「漢學的五十個主題」主要部分，也透過這種論文集在國際上被討論。托衣切特還另編有《劍橋版中國史》，這本書也可以說是實現了白樂日的夢。送稿並書寫「中國史的潮流」的學者，七八成都在美國擔任教職，可見美國漢學的盛況。

促成「宋史計畫」

促成此一新潮流開始的，就是白樂日的「宋史計畫」。他雖然試圖將中國研究放在和普遍歷史的比較中考慮，然而他只從食貨志和刑法志細緻的譯註中，積極的建構、累積出通史的制度史，就算有感於韋伯等的觀察，他還是決定放棄直接從貧乏的史料基礎，挑戰大題目。於是他以 A. W.哈梅爾《清朝名人傳》（1943年）為一個範本，把他眼中區分傳統中國歷史的宋朝當作「近世」的大分水嶺，試圖製作世界學者會使用的入門書，也就是各種詞彙索引，包括文本的翻譯、研究文獻目錄、書誌、傳記、年表、世表、地圖等，透過國際且跨學科的合作完成。

白樂日已知日本宋史研究的成果，因此除了經由日本學士院尋求協助，法國也拜託戴密、桀魯內、艾爾威、英國則拜託范德魯納、范修普蘭克，德國則拜託赫爾貝爾特・法蘭克，美國拜託克拉克、萊特、菲爾凡客、海塔瓦負責，還在巴黎請美國的年輕學者直接協助。他也透過日本宋史提要編纂合作委員會、法蘭克、艾爾威、張馥蕊完成數冊基礎提要，白樂日自己除了地圖和年表，也投稿了幾篇提要和論文。

從「中國風」的蛻變

與此一工作同時間，白樂日也開始著手「年輕漢學家會議（CJS），英美或日本都有幾名學者參加會議。事實上也可看出，白樂日集合在世界活躍的新世代有潛力的漢學家，試圖建立一個交換意見的世界論壇。此會議於1976年改組為西歐漢學協會（EASS），限定成員只能在歐洲和東歐、俄國，變成一個相當封閉的學會，直到今日。戴密微的追悼文也淡淡的提到，白樂日從柏林大學就不停批判傳統東洋學過度瑣碎的考證及耽溺於周邊事件的風潮，在索邦任職後也是這樣。戴密微把白樂日的警告記錄在他的追悼文中，可看出他的見識。

1992年西歐漢學協會的年會例外地在臺北舉行，討論學術史。報告大會方針的赫爾貝爾特・法蘭克和法國另一位報告的代表 M.B.布魯基耶特，列舉學術漢學致力於周圍且瑣碎的考證，對相近領域的成果、外交官及田野調查等漢學家的力作漠不關心，怠於將中國事件放在真正的世界史潮流中思考等等，指出白樂日所提倡「問題史」的主題至今仍在中國研究中有其需要（斯波〈歐洲漢學史的國際會議〉，財團法人東洋文庫書報24，1993）。

艾伯華
（Wolfram Eberhard, 1909-1989）

大林太良

他的生涯

艾伯華的一生也表現了德國近代史的一面，他的政治立場反對納粹也反對共產主義，若把他的研究和他的一生跟他的政治立場分開，則無法正確理解他的一生。艾伯華於1909年3月17日生於柏林近郊的波茲坦。說到波茲坦，

日本人首先一定會想到波茲坦宣言，這裡其實有氣象站和天文台，他也生在父母都是天文學家的家庭。因此他博士論文討論漢代天文學和占星術，也並非不可思議的事。

艾伯華踏入中國研究，則是因為中學畢業要進入大學時和父親討論的結果。起初艾伯華想念民族學，跟父親討論了以後，父親問他這可以做什麼職業。「大學教授」「那麼德國全國民族學有多少位教授？」「兩位」「那那些教授現在幾歲？」「兩個人都大約45歲」「那也就是說你要三十年後才有當教授的兩個機會」。就這樣兒子一邊學民族學，一邊也學中文。父親認為兒子至少可以在銀行或中國貿易相關的企業工作，因而同意他的想法。

艾伯華於1927年進入柏林大學，主要學習古代中文和民族學，其他也學了蒙古語、滿州語、日本語、梵語，1933年提出博士論文。他

的老師中，有福蘭閣、艾瑞克·浩爾，同學有白樂日、哈姆雷特·威魯漢姆、羅爾夫·史丹等。一起學日語的同學，也有哈佛·札佛特。當時柏林大學沒有開現代中文的課，他於是私底下在東方語言讀書會上跟費爾丁納·蘭新學中文，1929年拿到修課證書。學習過現代語言，對他日後的人生和研究有很大的意義。

然而艾伯華在柏林大學學習最重要的事情，是找了理查·多倫瓦特當老師一事。他受到這位同時身為民族學家和社會學家的大師相當大的影響。多倫瓦特是德國功能主義的代表人物，也以批評維也納的威廉·修米特的文化圈論聞名。他與英國的功能主義不同，多倫瓦特比較關心歷史，自己以前也研究過古代東方，不只對自己去過田野調查的新幾內亞和美拉尼西亞的歷史感興趣，也對廣泛人類歷史的知識有獨自的看法。艾伯華民族學和社會學的問題設定跟研究方法，正是繼承多倫瓦特的學問。艾伯華之前，德國就有萊比錫的艾古斯丁·貢拉蒂和他的學生愛德華·艾爾凱斯利用民族學的知識進行古代中國的研究，取得不錯的成果。然而接受更新的民族學、社會學的教育進行研究的，艾伯華應該是第一位。

納粹當政後隔年，1934年艾伯華首度前往中國。本來目的是為了柏林民族學博物館收集標本，但後來沒拿到什麼標本，反而跟中國民俗學者婁子匡和曹松葉深入交流，還在浙江省進行民俗調查。接著他在北京大學等教授德語，隔年1935年至華北大旅行，把德語老師的工作交給不能回國的猶太朋友，暫時回國。

1936年至1937年艾伯華當上萊比錫格拉西博物館的亞洲部長。1936年德國民族學會的大會上，他首度發表中國文明形成的報告，隔年著《中國民俗的各種形式》，把他使用的資料分門別類。此書根據中國民俗資料本身嘗試進行分類，至今仍有它古籍的地位。然而他在德國的處境也十分困難。除了擔心他在中國反納粹的言行是否會傳回德國，納粹相關的勞動組織也逐漸施加壓力要他加入。直接正面拒絕莫過於危險。因此他就以博物館部長的身份規定為藉口，爭取了一些時間。1937年他與一位反納粹活動的領導人亞當．馮．多羅特見面，經過努力獲得摩西．孟德爾頌獎學金。他用這筆錢買了環遊世界的票，首先去美國，之後去日本。當時他和以前的學友札赫魯特一起去北海道和南樺太旅行，拜訪愛奴部落，並寫了一篇報告書。從日本到中國的時候，爆發抗日戰爭，他搭的船不到原定的上海，改到了香港。在香港，他與馮．多羅特碰面，打算一起去四川，因戰爭無法成行，又回到了香港。此時土耳其安卡拉大學打算聘他當教授，然而他沒有有效期限的簽證，合法的方式只能先回德國的港口，最後他只好經過多次轉船後，到安卡拉，付了罰金以後入境。

安卡拉大學是許多無法待在德國的學者的聚集地。艾伯華1939至1948年期間教授中國史，研究也在此開花結果。他集合超過八百種的非漢族民族歷史資料，整理成《中國邊境各民族的文化和居住地》，尤其是基於歷史和近代的民俗學資料，分成九種地方文化，分別討論這些文化對中國文明的行程有何貢獻的《古代中國的地方文化》，都在安卡拉出版發行。《地方文化》討論北方和西方的上卷在萊頓出版，討論南方和東方的下卷在北京出版。在艾伯華處理逼他回德國的壓力期間，德國宣佈敗戰。馮．托洛特在戰敗前年就因參與希特勒的暗殺計畫被處決。1948年，他在安卡拉的聘期快要結束時，加州大學送來一封一年的聘書，於是他就成為加州大學的專任教授。1949年到退休的1976年間，甚至之後他都在加州大學柏克萊分校教授社會科學。其間也到德國各大學進行多次演講。我在1956年第二學期到法蘭克福大學旁聽他的中國社會史，這是和他的第一次見面。他搬去美國以後，也常常到臺灣進行社會學和民族學的調查。1967年夏天，我在臺北見到久違的他，他似乎也是為了類似的調查過來。1989年8月15日，艾伯華在加州的自家中臥病去世。

艾伯華的研究

艾伯華並非只對中國，他也進行中亞、西亞的研究，他的興趣和能力相當廣泛。即使不看他的土耳其民俗學研究和中亞歷史研究，只看他的中國研究，包括關於中國文明形成的《中國邊境諸民族的文化和居住地》、《古代中國的地方文化》、對中國民俗學的基本貢獻《中國民俗的各種形式》和浙江省和臺灣的民俗學研究，各種中國故事集、漢代天文學、漢代服飾流行、17世紀至19世紀中國小說的社會學考察、道教《善書》研究、以社會學資料來看中國的夢、還有他在這些個別研究的基礎上發揮想像的中國史概述，也可知道擴及許多領域。

收集眾多資料，分類整理，並發表大的觀點，這是艾伯華擅長的研究方法。如同他主要以中文撰寫並投稿在《民族學指標》（*Ethnologischer Anzeiger*）的中國民族學、民俗學的文獻目錄一般，他十分熟練文獻，尤其是中國學者的成果。在電腦發明以前的當時，他獨自擁有打孔卡的設備，隨時可以拿到想要的資料。這也是他可以陸續在20歲後半完成《中國民俗的各種形式》，30歲前半就完成《邊境各民族》、《地方文化》等大型工作的原因。不僅如此，從他的政治立場來看，他也一定是想在他可以做事情的時候就完成工作，內心十分焦急的人。在這些大作品中可以看出速度變慢的，往往都是當時時代和他所處的情況的反映。

艾伯華所做的研究中到底什麼最值得評價，或許因人而異。對我來說，我想推薦他從民族學的立場發表的中國文明形成說。這應該是和岡正雄日本民族文化形成說（《岡正雄論文集 異人其他 十二篇》）並列的偉大成果。艾伯華的研究方法，不是直接複製別人做好的體系，而是自己從中國資料中，建立獨自的體系。他試圖建立與阿爾內分類歐洲故事不同的方法，建立中國自己的分類，他還批評當時德語圈民族學相當有影響力的文化圈論，提出獨自的地方文化體系。

艾伯華的成就正是設定中國古代中幾個主要的文化複合體。《地方文化》中，他取出幾個擁有同樣分佈，互相意義相關或功能上相關的幾個要素，叫做「系」，認為幾個系集合而成可以變成一個地方文化。長江以南的地區可分為旱田和水田文化，今天是相當常識的事情，艾伯華其實是當時首位提出的這種分類的人。另外各地文化都對中國文明有所貢獻的想法，近年蘇秉琦等中國考古學者間也開始成為有力的說法，艾伯華可說是先驅。就算他的說法有也有許多該被批評的地方，他身為獨創且大規模的先驅所做的成果，依然難以抹滅。

主要著書

1937年 *Typen chinesischer Volksmärchen*. FF Communications Nr. 120. Helsinki（《中國民俗的各種形式》）

1942年 *Kultur und Siedlung der Randvölker Chinas*. T'oung Pao Supplement zu Bd.36, Leiden: Brill（《中國邊境各民族的文化和居住地》，介紹和評論在大林太良〈中國邊境各民族的文化和居住地——艾伯華說的介紹與評價〉，《國立民族學博物館研究報告》20卷2號，313-356，20卷3號，455-500，1975）

1942年 *Lokalkulturen im alten China*. Teil 1: Die Lokalkulturen des Nordens und Westens. T'uong Pao Supplement zu Bd. 37, Leiden: Brill（《古代中國的地方文化第一部北部和西部地方文化》）

1942年 *Lokalkulturen im alten China*. Teil 2: Die Lokalkulturen des Südens und Ostens. Monumenta Serica Monograph III, Peking（《古代中國的地方文化第二部南部和東部地方文化》）

1965年 *Folktales of China*. Chicago: University of Chicago Press.（《中國的故事》）

1967年 *Settlement and Social Change in Asia*. Hong Kong: Hong Kong University Press（《亞洲的住居和社會變化》）

1968年 *The Local Culture of South and East China*. Leiden: Brill（白鳥芳郎主譯《古代中國的地方文化華南、華東》六星出版，1987）

1970年 *Studies in Chinese Folklore and Related Essays*. Bloomington: Indiana University Folklore Institute Monograph Series（《中國民俗研究與相關論文集》）

1977年 *A History of China*. Berkeley: University of California Press（大室幹雄 松平いを子譯《中國文明史》，筑摩書房）

關於艾伯華的一生，有他古稀記念論文集中的小傳（Sarah Allan and Alvin P. Cohen (eds.), *Legend, Lore and Religion in China*. San Francisco: Chinese Materials Center, pp. xix-xxiv）和追思記事（Alvin Cohen. In Asian Folklore Studies, 49 (1): 125-133, 1990），本稿根據這些資料而成。

座談會　歐美的東洋學

梅村　坦／斯波義信／高田時雄／森安孝夫

東洋學的開始

高田：在歐洲，自古以來就對東方沒什麼關心，之所以會形成嚴密的學術研究，主要是歐洲16世紀大航海時代開始的緣故。葡萄牙人和西班牙人等來到亞洲，他們帶回去的新知識給了當地人很大刺激。我想我們可以從這邊開始談。

森安：從東方主義到東洋學，從東洋興趣到東洋學，一般也都認為應該是始於16世紀。

曾任職於葡萄牙科英布拉大學圖書館長卡斯塔尼和擔任里斯本印度部長的巴魯羅斯，撰寫滿載印度和中國資訊的大書，其他在西班牙也有滿多薩出版名著《中國大帝國誌》(1588年刊行)。整體的著作看來，大概是首先是葡萄牙，接著是西班牙，最後混入義大利。從當時大航海時代的情況來看當然是這樣，一開始並不是自己先去，而是從去過的人身上搜集情報，或者從當地過來的人取得知識，最後再加以整理，當時是這樣的情況。接著才是實際到過亞洲、擴展見聞的人自己寫出。

高田：因為一開始掌握中國的傳教權，或者說傳播基督教的工作，落到葡萄牙人的身上了嘛。葡萄牙人一開始以印度的果亞當作根據地，之後又在澳門積極的進行傳教活動，這些傳教士帶回來的知識再逐漸進入歐洲。我認為其中擔負較大工作的，應該是耶穌會的神父吧。

森安：耶穌會成立是1534年，有名的利瑪竇（義大利人，1552～1610）到果亞的是1578年，他到澳門則要到1582年了。之後活躍的人幾乎都是耶穌會的人。

最有名的，就是當時在中國本土，突然從地底下冒出基督教曾經傳入並流行過中國的證據──大秦景教流行中國碑。基督教去中國最重要的一個目的就是傳教，這對身為基督教徒的歐洲人來說，可說是正如己意，之後雖然也進行了許多研究，但首先把這研究翻成拉丁文介紹給大家的，就是金尼格（法國人，1577～1628）這位耶穌會士。

梅村：耶穌會的利瑪竇進入北京，得到的許多情報就這樣經過海洋，傳播到歐洲去，引起很大的注意。當時在果亞成為耶穌會士的葡萄牙人鄂本篤（1562～1607），以亞美尼亞商人的身份被派到中國，也開始著手調查「契丹」和「支那」是否是同一個地方，和是否可以從內陸直接到達這個國家，試圖從海陸兩邊進行連結。這大概是跟利瑪竇同時間的事情。

高田：結果大家後來就知道「契丹」就是中國了。

森安：他這個大旅行是1602～1605年間。從印度經過突厥斯坦到達肅州（甘肅省），他就因為生病過世了，跟利瑪竇從北京派出的學生有完全相反的結局呢。

梅村：羅馬時代，或者馬可波羅等蒙古帝國時代的東西交流後，似乎就沒有中國的情報了，然而基督教以傳道為契機，又再度讓歐洲確認了中國這個地方。

斯波：宗教熱情，的確存在在大航海時代，但更重要的是世界貿易的擴張。當時歐洲想要的商品尤其是奢侈品，主要是從東方來的，有東高西低的概念存在。茶葉首先由荷蘭人帶入歐洲。之前他們還對胡椒和絲綢、陶瓷器等有興趣。法國經濟學家杜爾哥（1778～1781）

曾經給中國留學生問卷，調查中國的經濟情況。俄國克魯珍首鐵倫（1778～1846）也用調查表詳細調查過日本和中國的自然社會情況。荷蘭醫生西博德（1796～1866）也曾經調查過日本整體。當時就是這樣一個想收集東方的資訊，了解經濟和文化情況的時代，基督教兼顧傳教和經濟兩面，搜集了許多日本、中國、東南亞、印度的新知識。

高田：然而在這個階段，他們對中國的認識尚未形成一個體系。剛好形成一個契機的，是因為耶穌會定期需要回去向羅馬報告。我認為這也是對中國的認識在歐洲傳開的開始。一開始是金尼閣，接下來，可能是波蘭人卜彌格（1612～1659）。影響最大的，應該是衛匡國（義大利、德國人，1614～1661），這也正是明清的轉變期，他把自己所見的戰爭，傳回歐洲。

衛匡國離開中國是在1651年，1650年代以前他大多在歐洲和當時歐洲的知識份子進行知識的交流，應該就是這樣使得歐洲的知識階級開始對中國有更深的認識。一段時間以後，珂雪（德，1602～1680）的《中國圖說》，可說是當時耶穌會所擁有的中國知識大成，一出版後馬上成為暢銷書。我認為就是這樣的事情不斷重複，最後萌發出對漢學的新芽。

森安：開始可以稱為研究的東西要等到18世紀以後才出現。法國杜赫德（1674～1743）出版《中華帝國全志》。接著馮秉正法譯朱子《通鑑綱目》，德金出版匈奴到蒙古之間的通史，都在18世紀湧出。當時知識的量應該已經有巨大的變化。

斯波：法國重農主義的學者和啟蒙思想家也對東方開始有相當系統的認識。例如亞當斯密（1723～1790）的《國富論》也是有系統的一個例子。總而言之，東方學開始的時候，的確比較重視哲學、宗教、語言等大傳統，之後開始往地理、風俗、博物、科技、經濟、法律等進行世俗知識的系統化，傳教士自己也不只傳教，開始投身於搜集實用知識。

森安：珂雪書中也有根據傳教士的測量完成的《達維爾的中國地圖》。

高田：達維爾的地圖完成以前，還是衛匡國的地圖比較有權威。不好意思，我稍微提一下之前的話題，荷蘭有一位利烏斯（1596～1667），是萊頓大學的教授，他在研究阿拉伯地理書的地方發現中國的十二干支。他後來問了衛匡國才知道中文的意思，某些程度也可以說是他和東方學的合作成果，十分有趣。

斯波：荷蘭有做過廈門話詞典。荷蘭於1619年開爪哇巴達維亞港，到1778年都一直有出版巴達維亞科學藝術協會的學術雜誌。

森安：荷蘭最先研究中文應該是從17世紀開始。

斯波：起初他們使用華僑當翻譯，之後畢業該國大學的東方印度公司的職員，才做了一本實用的辭典、法律和習俗的書。英國首先也是先研究廣東話，不只研究北京話。

高田：沒錯，羅伯特・馬禮遜（英國人，1782～1834）首先也是出版廣東話的字典。之後才出了文言的辭典。

梅村：從實際利益來看這樣的順序也很正常。

高田：有趣的是，到達馬尼拉的西班牙傳教士基本上都學福建話，留下許多手稿形式的辭典。

森安：手寫的辭典？

高田：是的。

斯波：馬尼拉以前都和福建、廈門交流，進行西班牙銀和中國製品的貿易，華僑一般都是福建南部的人。

歐洲的東洋視野

梅村：其實歐洲人可能也不一定如我們想像的，梳理過中國的歷史後才思考。他們在考慮中國文化時，眼前浮現的中國、支那，裡頭應該也包含了許多對清朝體制中十分重視的思想的興趣吧。中國儒教和哲學傳入歐洲時，不只亞當斯密，當時的知識份子應該也深受影響吧。

高田：像萊布尼茲等人，就是喜愛中國最明顯的例子，歐洲人發現世界還有一個與自己不同的文明時，應該相當震驚。

斯波：大航海時期發現一個他者，啟蒙時期重新省視自己，考察印歐和其語言如何擴張，因而首先興起印度研究和猶太研究，之後延伸出去，才是佛教、儒教、道教等，開始對東洋完全不同類型的文明感興趣。就像梅村所說的，他們很驚訝的發現有另外一個高等文明存在，開始動員西方的知識了解。這也是18世紀的一個特徵。

梅村：我感覺當時歐洲思想界還相當的謙虛，殖民地擴大，實際利益進來了以後，這種謙虛不知道跑到哪了。

斯波：關於這種實用知識，荷蘭王立亞洲學會的東洋各分部曾經著手調查過。進入河內的法國也曾經做過。然而，法國的研究比較重視大傳統方面。耶穌會的情況，也有自我辯護的成分，一直在捧中國，但也逐漸開始強調18、19世紀清教徒的傳教時期，中國有多貧窮，多需要救助的立場。

歐美各國的東洋學

高田：歐洲開始稍微科學，或者系統的漢學，應該是從雷慕沙（法國人，1788～1832）和克拉普羅特（德國人，1783～1835）開始吧。法蘭西公學院開始設立漢學講座，首位負責人就是雷慕沙。我覺得這是相當跨時代的事情。雷慕沙和克拉普羅特應該屬於天才型的人，從小就通曉許多語言。

高田：他也有醫生的執照吧。

森安：沒錯。一開始接觸的漢籍似乎是《本草綱目》。他在神父家看到植物學的漢籍，就興起一讀的念頭，下了些工夫。1814年他成為法蘭西公學校的教授，三年前就已經發表中國語言文學說。

高田：這本書可能還不足以稱作什麼文法，就如他的書名《漢文簡要》一樣，是為了閱讀中國文言文所著的入門書。之後他也寫了另外一本《漢文啟蒙》，這才可以說是真正的文法書，可說是首位正確認識中文的學者。

梅村：這本書才是他的出發點吧。

高田：19世紀前半無疑的有雷慕沙和克拉普羅特兩大巨頭。雷慕沙雖然有往漢學方面集中的趨勢，但克拉普羅特該說範圍廣吧，他不只研究中國，也對研究塞外的民族語言。他也接受俄國的協助到亞洲，受到許多現今所說的田野調查影響。

梅村：他好像去了蒙古，又經過阿爾泰、喬治亞、高加索山等相當廣大的地區呢。

斯波：不管是雷慕沙或儒蓮（法國人，1799～1873），都沒去過中國，這是真的嗎？

森安：他們好像都沒去過。

高田：沙畹（法國人，1865～1918）應該是第一位吧。

斯波：所以現在我們談的克拉普羅特，在某些程度來說也是相當重要的人物。

高田：也是因為當時只能經過俄國啦。不是嗎？

斯波：東正教受到相當多的禮遇。

森安：是呀，他是俄國科學院雇用的亞洲語言文學著教授嘛。最有名的應該是1812年《維吾爾語言文字考》，是歐洲首度將維吾爾認定為土耳其族的作品。

梅村：剛好同時期也有匈牙利的喬瑪。他去德國的時候，對西藏和中亞有興趣，所以才決定去的。喬瑪在世的時間是1784到1842年，和雷慕沙跟克拉普羅特幾乎同一年代。

森安：他是幾年去的？

梅村：1822年，只到拉達克。

斯波：俄國神學院的校長比丘林（1777～1853）不也是這樣嗎？

高田：比丘林是僧侶，到底是自己想去才去的不得而知，不過他的確待過北京。

森安：比丘林是哪一派的？

高田：俄國東正教。俄國可以在北京建教會後，他就在當地傳教，掌院好幾代都待在那裡。當時有一個名叫俄羅斯館的中國官署，裡面會教俄國人中文。這已經是相當的禮遇，畢竟清朝曾經禁止外國人學中文。從這點來看，俄國要是想發展漢學，其實是在一個相當有利的地位。

森安：不過俄國後來不往漢學，而往蒙古學和西藏學方向研究了

高田：代表俄國的漢學家還有鮑乃迪（1817～1878）。

森安：之後還有以東西交流史聞名的貝勒（1833～1901）。

高田：卡伐列夫斯基（1800～1878）也是蒙古學家，他一開始在喀山。喀山的東洋學已經很久了，但這個傳統後來沒有被流傳下去，時間稍微一久就會產生空白。

梅村：陸續發展殖民地的俄國，後來比較重視買賣和中俄的外交關係，研究好像就中斷了的感覺。

斯波：德國的漢學很多都繼承俄國的成果，俄國也累積了不少吧。法國從1814年才開始，在這之前的東西，還是俄國比較重要吧

高田：德國不知道怎樣。法國跟俄國都是中央集權國家，研究傾向集中在巴黎或聖彼得堡，德國在這方面的統一比較晚，現在也在各地有許多研究中心。

斯波：德國本來在東方就沒有殖民地，過了一段時間才有的。德國對東方的興趣在哲學領域，一般認為他們對西方沒有的東西懷有憧憬。

森安：在19世紀的德國、俄國，最重要的應該是地理學。例如他們是中亞探險的先驅，德國史拉京特魏特兄弟和俄國的謝苗諾夫是探險家，也同時是地理學家，曾接受過德國的名地理學家馮．洪保德、李特爾的指導。也就是他們多以地理學為目的到東方。主要是為了填補亞洲的空白地帶，當然也是有佔領領土的野心，這樣才能賺錢。

高田：這或許也是後起國家的宿命。

梅村：雖然的確是後起國家，但也是因為不靠海吧。所以才會這樣。只能去中亞或西伯利亞，這也是彼得大帝以來的方向。只能這樣子。

森安：俄國地理學協會在探勘中亞中扮演極重要的角色呢。

高田：話說英國的東洋學，是經過新教傳教士再到東印度公司，靠這些人累積的基礎建立而成。我想英國最先在中國設根據地的，應該是倫敦傳教會的羅伯特．馬禮遜。此人歷經千辛萬苦才到澳門，一邊努力學中文一邊翻譯聖經，時間和雷慕沙大致相同，他也編了一本中文文法書和大辭典。應該是因為和翻譯聖經非常有關係的緣故。

之後英國為主的新教傳教士陸續到中國，美國當然也從此時開始派傳教士過來，斯波老師，你應該比較清楚。

斯波：19世紀的美國新教的傳教士和外交官的活動都很活躍。我認為東洋學方面應該首先受到德國法國的影響。不只東方學，可能整體都是這樣。和英國比較類似的是荷蘭，荷蘭東洋學的創始者施萊格爾（1840～1903）的時代是這樣。荷蘭也是很努力的培養殖民地的官員和外交官，也是出版的中心。

高田：我曾經去參觀過萊頓大學圖書館，有很多在巴達維亞的書呢。

斯波：歷史很悠久呀。有巴達維亞科學藝術協會的傳統，刑法、行政法、土地法、婚姻法、習俗等，他們都格外的重視。

森安：設置巴達維亞的協會大概是哪一年？

斯波：大約是1781年。

森安：是某種程度帶有學術色彩的協會，歐洲首先建立的協會，應該就是這個巴達維亞的協會。

斯波：最早的呀。但首先設立大學，應該說研究院的，應該是法國吧。

森安：孟加拉的亞洲協會（1784年設立）在荷蘭之後設立。應該比之後法國的亞洲協會（1822年）還古老。

斯波：《亞洲雜誌》是從1802年開始。萊頓的話是1851年。東洋學的名雜誌《通報》則是要到1890年。

森安：創辦《通報》的是荷蘭的施萊格爾跟法國的柯蒂埃（1872～1936）吧。

高田：英國最早是哪裡。是劍橋嗎？

斯波：是牛津翻譯中國古籍的理雅各（1815～1897）。

高田：劍橋是威妥瑪（1818～1895）嗎？建立威妥瑪系統的人。後來繼承威妥瑪的是翟里斯（1845～1933）。

英國的情形，之後出現例如像 SOAS（倫敦亞非學院）之類的地方，就形成了更強烈區域研究的意識呢。

森安：這與其說是漢學，倒不如說是印度學為中心吧。

梅村：可能是這樣子呢？

斯波：我看過皇家亞洲協會各分部的雜誌，寫了很多歷史的東西呢。都是外交官和官員和學者的文章。

森安：法國法蘭西公學院的首位漢學教授是雷慕沙，第二位是儒蓮，到了第四代進入19世紀有沙畹，在這方面英國好像沒有比較重要的人物？

斯波：應該是因為法國都會將最優秀的學者派到學術機關吧。牛津還有其他雖然也很優秀，這方面來看是怎麼樣呢？

森安：沙畹畢業於法國法國巴黎師範高等學院，也相當優秀吧。

勸沙畹學漢學的也是柯蒂埃。

高田：柯蒂埃在學術上有許多值得一提的地方，他在其他方面也是很重要的角色，應該可以稍微介紹一下。他著有《中國書誌》或是《印度書誌》，在文獻學上貢獻良多。

中亞的新發現

高田：19世紀後半葉，在中亞有許多新的發現，這又讓歐洲東洋學更進一步。

梅村：這應該也是英國開始和俄國對立吧。俄國開始經營中亞和西伯利亞貿易、中國貿易，以地理學為核心搜集情報。英國也以印度殖民地開始往國際發展，包括軍事和地理探險和發掘，的確是往十分實務的方向邁進。

最常提到的就是鮑爾。英國的軍人鮑爾偶然拿到一件古老的文件。原因是他在塔克拉瑪干沙漠西部秘密進行測量任務時，軍事情報來源的蘇格蘭商人被殺，他為了追找犯人來到庫車。1889年他就在庫車像塔婆的地方，從當地尋寶店發現了這古文件，被當成商品販賣。這經由海倫等梵文學者解讀後，才被注意到是驚人的大發現。

森安：四世紀時期的東西吧，鮑爾古本。

梅村：印歐系的古老語言文字，竟然會出現在中亞地區，因而受到許多關注。這也使得赫定（1865～1952）和稍晚的斯坦因（1862～1943）決定出發探險。赫定的探險剛開始是相當個人的行動。

高田：後來變成跟中國一起的政府合作了吧。

梅村：這種探險一開始是俄國主導。然而斯坦因在這之前的1900～1901年間，就已經調查過和闐，後來世界各國也零散的前往。

在此之前，匈牙利地質調查隊曾經過西安，最後到達敦煌，自1890年起就發表了大量的自然科學中心報告書，當時就已經開始田野調查了。這是在中國早期的近代科學的調查。匈牙利和英俄的行動有所不同。

森安：19世紀的探險，首先還是從地理的調查開始。匈牙利也是如此，但俄國比較有傳統，是因為之前俄國有軍事和經濟的野心。英國也很類似，所以英國也有從印度前往中亞的軍人和政治家。

就在這樣的背景下，他們偶然在中亞各地發現古書，有些十分珍貴，形成英俄兩國的古書收集戰。喀什有英國貿易代表馬繼業，俄國領事彼得羅夫斯基，烏魯木齊也有俄國的科洛多科夫，廣泛的購買古書。他們不是自己去挖掘唷。斯坦因就看到這些現象，知道沒受過訓練的人也可以發現這麼厲害的東西，就覺得如果有受過訓練的人應該可以發現更厲害的東西吧。

梅村：斯坦因不只做古書調查，之前也曾經做過地理和考古學調查吧。

森安：的確是這樣。地理調查他很早就開始做了。然而到了斯坦因才開始明確意識到古書。首先他在和闐、丹丹烏里克、安德悅、尼雅取得碩大的成果歸國。之後他又繼續去了第二次、第三次。第二次就是去敦煌。他聽說敦煌出現很重要的古書，斯坦因先去，之後伯希和也去，就這樣發現了敦煌文書。同時間德國探險隊也在吐魯番盆地發現吐魯番文書。

在敦煌和吐魯番發現的未解讀的東西，之後當然逐漸被解讀出來，但發現是屬於印歐語系的東西，這個影響比較大。粟特語或和田語都屬於印歐語系，這跟之前發現梵文而產生出印歐比較語言學是同樣的大發現，也因此促成許多年輕優秀的人才往這方面研究。

高田：商博良解讀出聖書體也對社會有很大的影響，但中亞出土印歐語的文獻，造成日後研究蓬勃發展，則是完全不同的衝擊。歐洲人把這當成自己歷史的一部分，才發展出了歐洲東洋學的吧。

森安：德國的勒柯克報告書之一的標題是〈探尋希臘人的足

跡〉。採用歐洲文化傳統擴及到東方的歐洲中心史觀。實際上不是西歐，是地中海、東方（羅馬以東）的文化。

梅村：他們認為這些都和古代希臘世界，希臘化時代有直接連結，更深更廣的擴張的歐洲人的自我意識了呢。

新東洋學的方向

高田：歐洲東洋學能在近代有所發展，不只是在資料的層面的進步，也在方法上有所進展。希望大家針對這一點討論……。尤其美國對研究方法的意識很強烈。

斯波：在這之前從遠東學院（1898，西貢>河內）到沙畹、伯希和的時代，他們不太會參訪亞洲的圖書館，或者跟中國學者有所交流。開始利用豐富的第一手資料，包括出土資料，進行實證研究，是一項重要的轉變。

另外，在這時期社會學開始興起，或許可以說也對社會科學有所探求，此時德國的文化社會學家馬克斯韋伯（1864～1920）也開始研究亞洲社會類型。1929年出現法國年鑑學派（社會史學派），馬克思經濟學盛行。而跨學科的全球研究也開始出現。在此之前他們往往把世界分為歐洲和非歐洲的，認為只有歐洲的東西才值得歷史研究。

高田：像葛蘭言（法國，1884～1941）與其說是漢學家，不如說是社會學家呢。

斯波：1930年代他們開始往社會科學靠攏，之後把亞洲當成世界史的一部分重新思考，二次世界大戰後美國漢學就在這種背景下前進。美國因為在亞洲發動了三次戰爭，可能也是想反省，所以開始認真研究亞洲了吧。

美國東洋學不只著重實用性，還與歷史和社會科學合作，形成從大題目切入的立場，一方面他們也雇用許多中國的學者，語言訓練相對紮實，因而可以孕育年輕的學者。劍橋版中國史、日本史幾乎都是以在美國的學者為中心，可看出他們的實力。

高田：古典東洋學從19世紀就開始有了雛形，傳統意義的東洋學，也就是歐洲東洋學，尤其在最近開始瀕臨瓦解，歐洲各國逐漸開始縮減預算。他們開始研究區域研究，或者投入各個領域的研究，歐美的東洋學究竟日後會往什麼方向邁進呢，或許是斯波老師說的方向吧。

斯波：可能是吧。把亞洲放在世界史中研究。之前都是放在歐洲史中研究，現在應該是這種轉變期。從歐亞史中看亞洲歷史，從跨學科的大題目中考慮亞洲史，或許是這個方向吧。

梅村：從區域研究的角度來看的東方架構，會更小吧。

斯波：想獨立出「非西方」的研究策略無法跟現今的國際化和全球化等問題一起發展。然而區分地中海世界、印度洋世界、東亞世界等小世界，再考量追溯世界史的潮流，是非常重要的。

梅村：也就是依照區域研究原本的想法。

斯波：最後應該是這樣吧。集合國民國家的歷史最後成世界史，基督教的文化整合、資本主義或社會主義可以當作黏著劑，這是19世紀後期的想法，現在已經是後現代觀點，不可忽略民族和宗教的的要素。因此從區域或「小世界」中的單位開始思考，是今後不可或缺的吧，我覺得不需要看成走到死路，區域中和區域外都可形成一種有機的動態，以整體的觀點來看比較好。

高田：我們也對現在東方學的傳統將要滅亡感到很落寞呢。總希望能夠以某種形式繼續存在。

斯波：傑弗里．巴拉克拉夫《當今的歷史學》（1985，岩波書局）曾提到，日本的地理在亞洲十分有利，也有許多一手資料，研究基礎也相當紮實，國外的評價大概是這樣。我們應該可以很自豪地說，我們移植了歐洲東洋學的傳統和繼承了取得資料的方便性。

森安：倫敦大英圖書館和巴黎國家圖書館及柏林、聖彼得堡等以前東洋學的中心的大圖書館，依然有很多漢籍，中亞帶過去的第一手資料也很可觀，但能夠活用這些資料的學者的確是在銳減中。從這方面來看，日本若能變成培育歐洲東洋學者的角色，培育英法德國的留學生，再送回去，他們也就可以閱讀那裡的豐富資料，這並不是夢想。

高田：明治時期要組織新東洋學時，首先當成模範的就是當時最興盛的歐洲東洋學。許多留學生去當地學那邊的東洋學，把這傳統移植回日本。森安所說的，雖然不知道將來會不會實現，但如果有可能的話，也可說是一種報恩吧。

森安：中國或亞洲來的留學生很多，但還沒有從歐洲的。斯波老師，最近好像也有從美國的學生吧？

斯波：有呀。國外評價日本東洋學的歷史訓練基礎很紮實，這點果然很重要。

高田：最後，現今東洋學若說有問題，大概是什麼樣的問題呢？

斯波：專業過細，大家都苦於分類。分太細以後大家反而看不清整體。歐洲也有類似的情形，在日本也發生了。

森安：歐洲誕生的東洋學，尤其是東洋史學到20世紀中葉為止，會在歐洲逐漸衰退的原因應該還是分類太細，大家開始感覺到麻煩的關係吧。尤其想要掌握中亞史學要會的語言和方法太多了。

梅村：越來越細分的原因吧。想要一個人完全掌握應該是不可能的。

高田：各領域都很明顯的越來越精密。

梅村：還有統整的時候到底要在哪裡妥協，不是一個人的問題而是整個體系的問題。

斯波：歐洲當初有這個想法但後來中斷了。美國的情形最後還是移植法國，然而國際、跨學科研究前提下，也可以把例如巴黎大學的白樂日（1905～1963）提出的大世界史的主題、研究工具、百科字典、通史等，透過國際合作完成，我覺得也可以是一種作法。（完）。

執筆者略歷（筆畫順）

小松久男（こまつ　ひさお）
一九五一年生
東京教育大學文學部畢業，專攻中亞史
現為東京大學教授

大島正二（おおしま　しょうじ）
一九三三年生
東京大學研究所修了，專攻語言學
現為北海道大學教授

大森太良（おおばやし　たりょう）
一九二九年生
東京大學經濟學系畢業，專攻民族學
現為東京女子大學教授、東京大學名譽教授

中谷英明（なかたに　ひであき）
一九四七年生
京都大學文學部畢業
現今神戶學院大學教授

中野照男（なかの　てるお）
一九五〇年生

九州大學研究所文學研究科碩士修了，專攻中亞美術史
現為東京國立文化財研究所美術部第一研究室長

矢澤利彥（やざわ　としひこ）
一九一四年生
東京大學文學部畢業，專攻東西文化交流史
現為埼玉大學名譽教授，東洋文庫研究員

本田實信（ほんだ　みのぶ）
一九二三年生
東京大學文學部畢業，專攻伊朗學、中亞史學
現為名古屋商科大學教授

加藤九祚（かとう　きゅうぞう）
一九二二年生
上智大學文學部畢業，專攻北、中亞文化史
現為創價大學教授

池田溫（いけだ　おん）
一九三一年生
東京大學文學部畢業，專攻東洋史
現為創價大學教授、東京大學名譽教授

武田雅哉（たけだ　まさや）
一九四二年生
名古屋大學文學部畢業，專攻印度哲學
現為國立民族學博物館研究部教授

桐本東太（きりもと　とうた）
一九五七年生
慶應義塾大學文學部畢業，專攻中國古代史、中國古代民俗學
現為慶應義塾大學助教授

梅村坦（うめむら　ひろし）
一九四六年生
東京教育大學研究所博士課程修了，專攻東洋史
現為中央大學教授

高田時雄（たかた　ときお）
一九四九年生
京都大學文學部畢業，專攻中國語言史
現為京都大學人文科學研究所助教授

湯淺赳男（ゆあさ　たけお）
一九三〇年生
東京大學文學部畢業，專攻比較文明
現為新潟大學名譽教授

森川哲雄（もりかわ　てつお）
一九四四年生
大阪大學文學部畢業，專攻東洋史
現為九州大學大學院比較社會文化研究科教授

森安孝夫（もりやす　たかお）
一九四八年生

東京大學研究所人文科學研究科博士課程修了，專攻東洋史學
現為大阪大學文學部教授，（財）東洋文庫兼任研究員，文學博士

斯波義信（しば　よしのぶ）
一九三〇年生
東京大學文學部畢業，專攻中國經濟史
現為國際基督大學教授

福井文雅（ふくい　ふみまさ）
一九三四年生
早稻田大學文學部畢業，漢字文化圈宗教與思想研究
現為早稻田大學文學部教授

橋本敬造（はしもと　けいぞう）
一九四一年生
京都大學理學部畢業，劍橋大學哲學博士，專攻科學史科學理論
現為關西大學社會學部教授

興膳宏（こうぜん　ひろし）
一九三六生
京都大學文學部畢業，專攻中國文學
現為京都大學教授

礪波護（となみ　まもる）
一九三七年生
京都大學文學部畢業，專攻東洋史學
現為京都大學教授

關係略年表

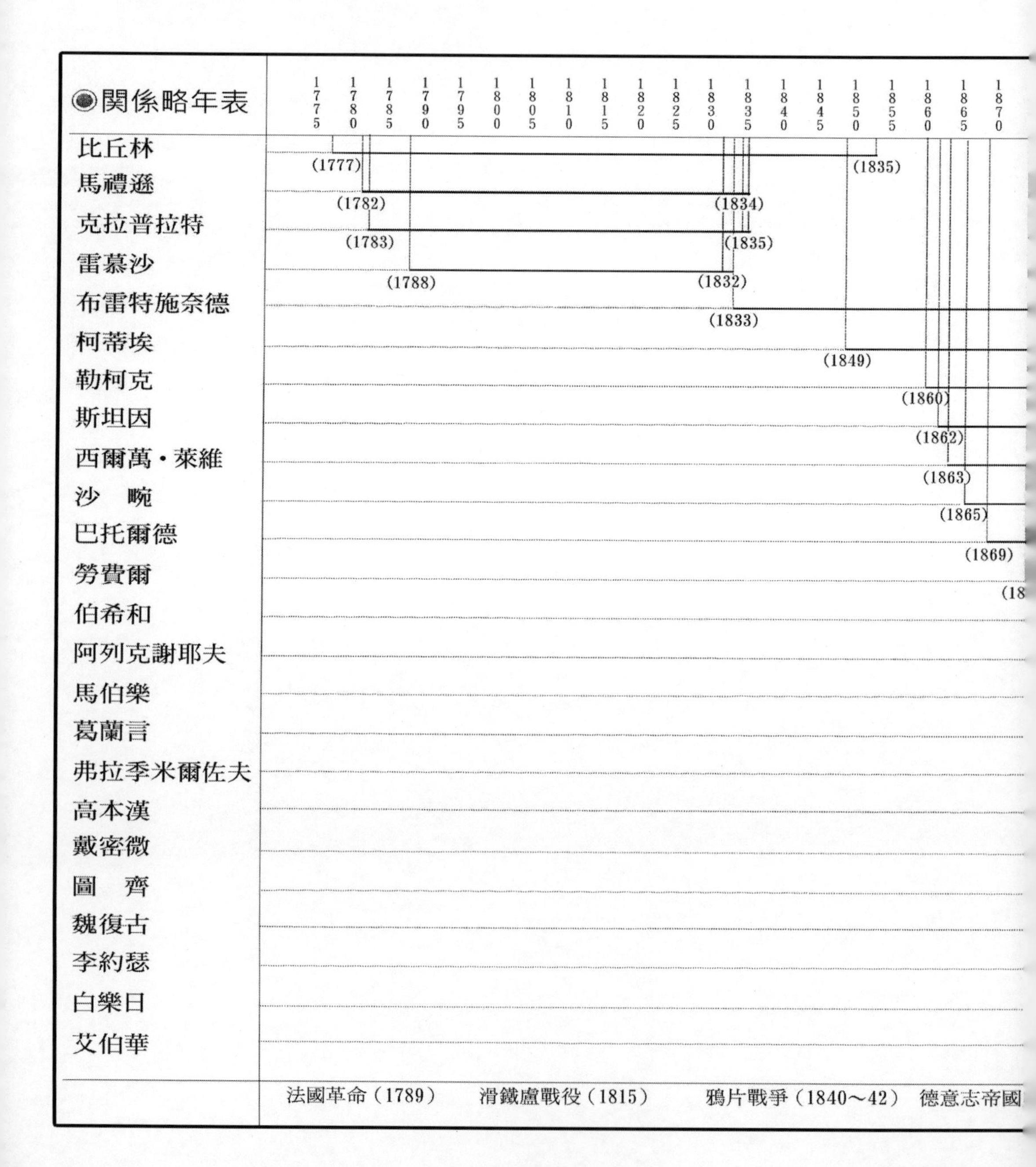
◉関係略年表
1775 1780 1785 1790 1795 1800 1805 1810 1815 1820 1825 1830 1835 1840 1845 1850 1855 1860 1865 1870
比丘林
(1777)
(1835)
馬禮遜
(1782)
(1834)
克拉普拉特
(1783)
(1835)
雷慕沙
(1788)
(1832)
布雷特施奈德
(1833)
柯蒂埃
(1849)
勒柯克
(1860)
斯坦因
(1862)
西爾萬・萊維
(1863)
沙 畹
(1865)
巴托爾德
(1869)
勞費爾
伯希和
阿列克謝耶夫
馬伯樂
葛蘭言
弗拉季米爾佐夫
高本漢
戴密微
圖 齊
魏復古
李約瑟
白樂日
艾伯華
法國革命（1789）
滑鐵盧戰役（1815）
鴉片戰爭（1840～42）
德意志帝國

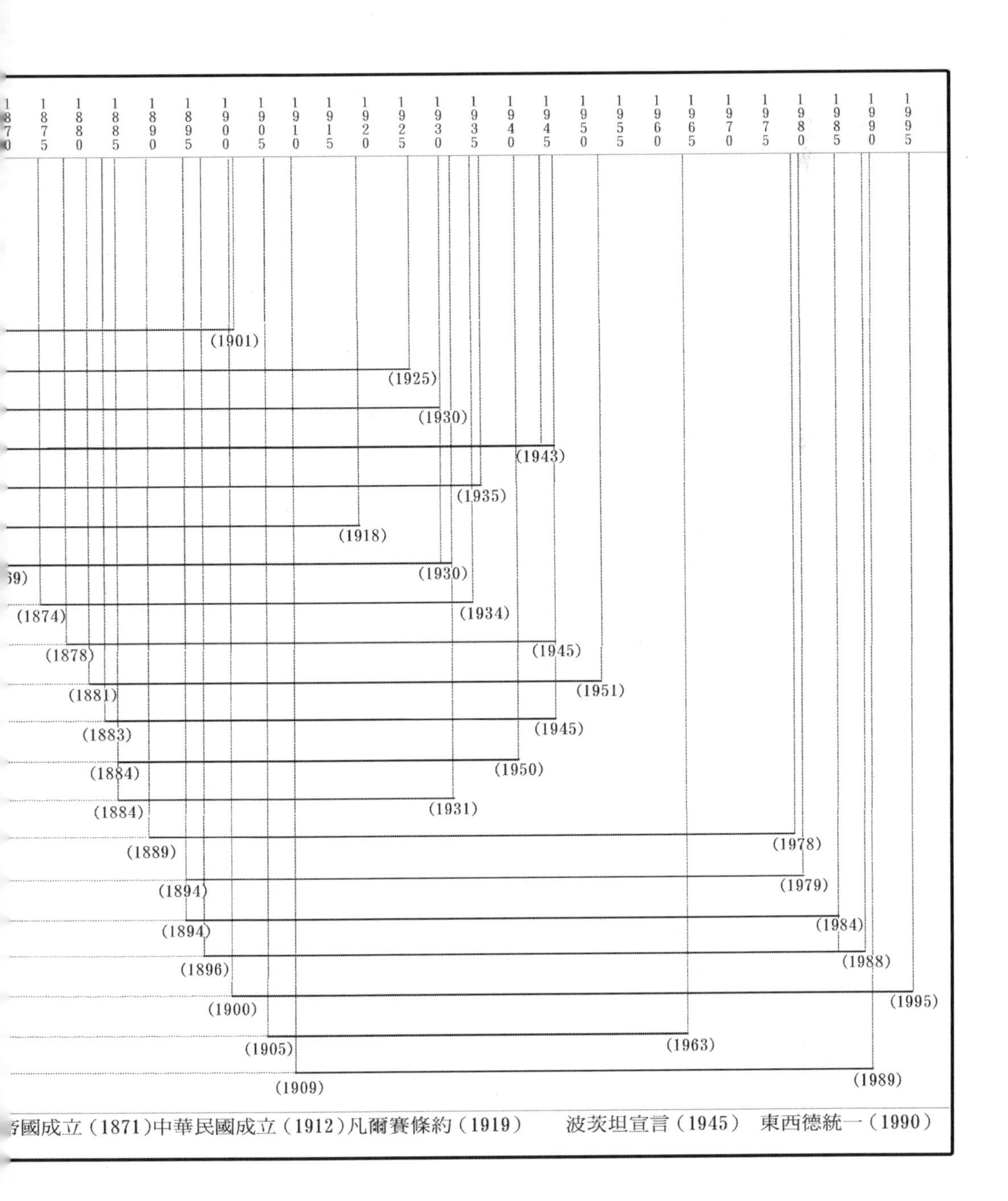

1875
1880
1885
1890
1895
1900
1905
1910
1915
1920
1925
1930
1935
1940
1945
1950
1955
1960
1965
1970
1975
1980
1985
1990
1995
(1901)
(1925)
(1930)
(1943)
(1935)
(1918)
(1930)
(1874)
(1934)
(1878)
(1945)
(1881)
(1951)
(1883)
(1945)
(1884)
(1950)
(1884)
(1931)
(1889)
(1978)
(1894)
(1979)
(1894)
(1984)
(1896)
(1988)
(1900)
(1995)
(1905)
(1963)
(1909)
(1989)
國成立（1871）中華民國成立（1912）凡爾賽條約（1919）
波茨坦宣言（1945）
東西德統一（1990）

漢學研究叢書・日韓儒學研究叢刊 0401005

近代歐美漢學家——東洋學的系譜（歐美篇）

編著者　高田時雄
譯　　者　林愷胤
責任編輯　呂玉姍

發行人　林慶彰
總經理　梁錦興
總編輯　張晏瑞
編輯所　萬卷樓圖書股份有限公司
臺北市羅斯福路二段 41 號 6 樓之 3
電話 (02)23216565
傳真 (02)23218698

發　　行　萬卷樓圖書股份有限公司
臺北市羅斯福路二段 41 號 6 樓之 3
電話 (02)23216565
傳真 (02)23218698
電郵 SERVICE@WANJUAN.COM.TW
香港經銷　香港聯合書刊物流有限公司
電話 (852)21502100
傳真 (852)23560735

ISBN 978-986-478-302-1
2019 年 12 月初版
定價：新臺幣 320 元

如何購買本書：
1. 劃撥購書，請透過以下郵政劃撥帳號：
帳號：15624015
戶名：萬卷樓圖書股份有限公司
2. 轉帳購書，請透過以下帳戶
合作金庫銀行 古亭分行
戶名：萬卷樓圖書股份有限公司
帳號：0877717092596
3. 網路購書，請透過萬卷樓網站
網址 WWW.WANJUAN.COM.TW
大量購書，請直接聯繫我們，將有專人為您服務。客服：(02)23216565 分機 610
如有缺頁、破損或裝訂錯誤，請寄回更換

國家圖書館出版品預行編目資料

近代歐美漢學家——東洋學的系譜（歐美篇）/ 高田時雄編著 ; 林愷胤譯. -- 初版. -- 臺北市 : 萬卷樓, 2019.12
面 ;　公分. -- (漢學研究叢書. 日韓儒學研究叢刊, 0401005)
ISBN 978-986-478-302-1(平裝)
1.漢學 2.傳記
039　108011461